p. 1 à 114.

Le XIXe siècle

1815-1914

Du même auteur

AUX MÊMES ÉDITIONS

Introduction à l'histoire de notre temps, 3 vol. : 1. *L'Ancien Régime et la Révolution* ; 2. *Le XIXᵉ siècle* ; 3. *Le XXᵉ siècle, de 1914 à nos* 1974.
Pour une histoire politique, 1988.
Histoire de la France religieuse (direction de), 4 vol., 1988 à 1992.

CHEZ D'AUTRES ÉDITEURS

Lamennais et la démocratie, PUF, 1948.
L'Amérique anglo-saxonne (*Histoire universelle,* t. 3, dans l'«Encyclopédie de la Pléiade»), Gallimard, 1958.
Histoire des États-Unis, PUF, coll. «Que sais-je ?», 1959.
Les catholiques, le communisme et les crises, 1929-1939, Colin, coll. «Kiosque», 1960.
Les États-Unis devant l'opinion française, 1815-1852, 2 vol., Colin, 1962.
Les deux congrès ecclésiastiques de Reims et de Bourges, 1896-1900, Sirey, 1964.
Forces religieuses et attitudes politiques dans la France contemporaine (en collaboration), Colin, 1965.
La vie politique en France depuis 1789, Colin, t. 1 : *1789-1848,* 1965 ; t. 2 : *1848-1879,* 1969.
Atlas historique de la France contemporaine (en collaboration), Colin, 1966.
Léon Blum, chef de gouvernement (en collaboration), Colin, 1967.
Le gouvernement de Vichy et la Révolution nationale (en collaboration), Colin, 1972.
Vivre notre histoire. Entretiens avec Aimé Savard, le Centurion, 1976.
Édouard Daladier, chef de gouvernement (1938-1939), (en collaboration), Presses de la Fondation nationale des sciences politiques, 1977.
La France et les Français en 1938-1939 (en collaboration), Presses de la Fondation nationale des sciences politiques, 1978.
La règle et le consentement, gouverner une société, Fayard, 1979.
Les catholiques dans la France des années 30, Cana, 1979.
Les Droites en France, Aubier-Montaigne, 1982.
1958, le retour de De Gaulle, Complexe, coll. «La Mémoire du siècle», 1983.
L'anticléricalisme en France, de 1815 à nos jours, Complexe, nouvelle édition augmentée et mise à jour, 1985.
Notre siècle, 1918-1991, Fayard, 1991.
Age et politique, Economica, 1991.
La politique n'est plus ce qu'elle était, Calmann-Lévy, 1993.

René Rémond

Introduction à l'histoire de notre temps

2

Le XIXe siècle

1815-1914

Éditions du Seuil

En couverture :
photo Francisco Hidalgo.

ISBN 2.02.005364.0 (éd. complète)
ISBN 2.02.000658.8 (tome 2)

© Éditions du Seuil, 1974

Le Code de la propriété intellectuelle interdit les copies ou reproductions destinées à une utilisation collective. Toute représentation ou reproduction intégrale ou partielle faite par quelque procédé que ce soit, sans le consentement de l'auteur ou de ses ayants cause, est illicite et constitue une contrefaçon sanctionnée par les articles L. 335-2 et suivants du Code de la propriété intellectuelle.

Avertissement de l'éditeur

Ce volume, qui constitue le deuxième tome de l'*Introduction à l'histoire de notre temps*, a pour origine « un cours professé à l'Institut d'études politiques de Paris et qui s'adressait aux étudiants de première année, dite année préparatoire ». (Voir l'avertissement de M. René Rémond dans le premier tome.) Le parti a été pris par l'auteur et par l'éditeur de « laisser à ce cours ses traits d'origine ».

Introduction
Les composantes successives

Le XIXᵉ siècle, tel que les historiens le délimitent, soit la période comprise entre la fin des guerres napoléoniennes et le début du premier conflit mondial, une centaine d'années qui tiennent entre le congrès de Vienne et la crise de l'été 1914, est un des siècles les plus complexes, les plus foisonnants qui soient. On se gardera de lui prêter rétrospectivement une rationalité qui lui serait étrangère mais un examen rapide permettra de distinguer quelques grandes directions.

Un siècle de révolutions.

Sans oublier que les relations que l'Europe entretient avec le reste du monde, entre 1814 et 1914, sont dominées par son expansion et ses tentatives de domination du globe, le trait le plus évident est la fréquence des secousses révolutionnaires. Ce siècle peut être, à bon droit, appelé le siècle des révolutions car aucun — jusqu'à présent — n'a été aussi fertile en soulèvements, en insurrections, en guerres civiles, tantôt triomphantes et tantôt écrasées. Ces révolutions ont comme points communs d'être presque toutes dirigées contre l'ordre établi (régime politique, ordre social, domination étrangère parfois), presque toutes livrées pour la liberté, la démocratie politique ou sociale, l'indépendance ou l'unité nationales. Tel est le sens profond de l'effervescence qui se manifeste presque continuellement à la surface de l'Europe et à laquelle aucune partie du continent n'a échappé : l'Irlande aussi bien que la péninsule ibérique, les Balkans comme la France, l'Europe centrale et la Russie ont été, à une ou plusieurs reprises, affectés par cette agitation.

Cette agitation révolutionnaire apparaît d'abord comme le contrecoup de la révolution de 1789 et il n'est que d'examiner les mots d'ordre, de scruter les principes pour saisir l'analogie. Cependant, tous ces mouvements révolutionnaires ne se réduisent pas — peut-être même aucun ne s'y réduit-il entièrement — à des séquelles de la Révolution de 1789. A mesure que le siècle approche de son terme, d'autres traits s'affirment qui prennent peu à peu le pas sur l'héritage de la Révolution française.

Des phénomènes nouveaux, étrangers à l'histoire de la France révolutionnaire, prennent une place croissante, posent des problèmes nouveaux, suscitent des mouvements inédits. C'est le cas de la révolution industrielle, génératrice du mouvement ouvrier, de la poussée syndicale, des écoles socialistes. Un nouveau type de révolution se fait jour, dans la seconde moitié du xixe siècle, que l'on ne peut réduire à la répétition pure et simple des mouvements révolutionnaires issus de la postérité de 1789.

Quatre grandes vagues.

On peut introduire quelque clarté dans le foisonnement de ces événements en distinguant plusieurs vagues successives qui se sont relayées.

1. Une première vague est composée des mouvements libéraux, qui se produisent au nom de la liberté, contre les survivances ou les retours offensifs de l'Ancien Régime. C'est le cas de la vague insurrectionnelle de 1820, des révolutions de 1830, en Europe occidentale principalement.

2. Une seconde vague est constituée par les révolutions proprement démocratiques.

Je reviendrai à loisir sur la différence de nature entre les révolutions libérales et les révolutions démocratiques; la distinction est fondamentale et son intelligence requiert un effort d'imagination, car, sur la fin du xxᵉ siècle, libéral et démocratique ne sont pas loin d'être synonymes (nous parlons couramment des démocraties libérales). Lorsque Jean-Jacques Chevalier analyse le démolibéralisme, il insiste sur tout ce qu'il y a d'indivis entre la philosophie libérale et la philosophie démocratique, mais cette vue est plus du xxᵉ siècle que du xixᵉ siècle. Les contemporains étaient plus sensibles à ce qui différencie, et même oppose, le libéralisme à la démocratie, et vers 1830 ou 1850, les deux sont même ennemis irréductibles : la démocratie, c'est le suffrage universel, le gouvernement du peuple, alors que le libéralisme est le gouvernement d'une élite.

3. Une troisième vague de mouvements se réclame d'une inspiration toute différente : ce sont les mouvements sociaux qui empruntent aux écoles socialistes leur programme et leur justification. Avant 1914, ces mouvements sont encore minoritaires et l'on se gardera d'anticiper en grossissant prématurément leur importance.

4. Enfin, le mouvement des nationalités qui ne prend pas la suite chronologique des trois précédents, mais court tout au long du xixᵉ siècle, constitue le dernier type de mouvement. Il procède de l'héritage de la Révolution comme nous l'avons vu en dénombrant les conséquences de la Révolution sur l'idée nationale; il est contemporain aussi bien des mouvements libéraux que des révolutions démocratiques et même des révolutions sociales et entretient avec ces trois courants des rapports complexes, changeants, ambigus, tantôt allié, tantôt adversaire des mouvements libéraux, ou des révolutions démocratiques et socialistes.

Voilà, réduite à son anatomie, l'histoire du xixᵉ siècle dominée par ces quatre forces distinctes, ces quatre courants qui tantôt se succèdent et tantôt se combattent, mais entrent tous en conflit avec l'ordre établi, avec les principes officiels, les institutions légales, les idées au pouvoir, les classes dirigeantes, les dominations étrangères.

C'est le conflit entre ces forces de renouvellement et les puissances établies qui compose l'histoire du xixᵉ siècle, qui explique la violence et la fréquence des heurts. Cet affrontement entre les forces de conservation, politique, intellectuelle, sociale, et les forces de contestation donne la clé de la plupart des événements de l'histoire, nationale aussi bien qu'européenne, qui, presque toujours, tournent à l'épreuve de force, car il est exceptionnel que l'affrontement se dénoue pacifiquement par l'application de dispositions prévues par la constitution : ce n'est guère vrai que de la Grande-Bretagne et de l'Europe du Nord ou de l'Ouest, les pays scandinaves ou néerlandais. Partout ailleurs, c'est par le recours aux solutions les plus radicales, par l'usage de la violence, que le conflit est tranché.

Les termes de l'affrontement varient selon le moment et selon le pays et il convient donc de passer du cadre général à l'examen des situations particulières.

1

L'Europe en 1815

Au lendemain de Waterloo, à la seconde abdication de Napoléon et à la signature des actes du congrès de Vienne, la situation se caractérise par la restauration.

1. Une restauration

La Restauration, c'est la dénomination du régime établi en France pour quinze années, de 1815 à 1830, mais l'appellation convient à l'Europe entière. Elle est multiple et s'applique à tous les aspects de la vie sociale et politique.

C'est tout d'abord une restauration dynastique.

Les souverains d'Ancien Régime ont eu raison de Napoléon, en qui ils voyaient l'héritier de la Révolution, et le choix de Vienne pour y tenir le congrès, où siègent les représentants de tous les États européens, est symbolique, Vienne étant un des seuls pays à ne pas avoir été bouleversé par la Révolution, la dynastie des Habsbourg étant le symbole de l'ordre traditionnel, de la Contre-Réforme, de l'Ancien Régime.

En France, par application de l'ordre de succession au trône, Louis XVIII succède à Louis XVI. Il en va ainsi ailleurs où les souverains détrônés — les uns par la Révolution, les autres par Napoléon — remontent sur leur trône : les Bourbons à Naples et en Espagne; les Bragance rentreront, quelques années plus tard, d'exil au Portugal; la dynastie d'Orange aux Pays-Bas.

Et une restauration du principe monarchique.

Cette restauration des personnes et des familles se double d'une restauration du principe monarchique. Dans l'Europe nouvelle, il n'est plus question de République, le principe de la légitimité monarchique triomphe sans partage. C'est d'elle que se réclament les doctrinaires de la Restauration, les philosophes de la contre-révolution, les Burke, les Maistre, les Bonald, les Haller. C'est également de cette notion de légitimité que sont censés s'inspirer les diplomates qui, à Vienne, remanient les territoires.

On ne commence à parler de légitimité que lorsqu'elle est contestée; avant 1789, la chose allait de soi, point n'était besoin de justifier la monarchie, mais en 1815, à la suite de l'expérience révolutionnaire, les régimes et leurs doctrinaires ressentent le besoin d'en faire la théorie.

La légitimité réside dans la valeur reconnue à la durée. Est légitime le régime qui a duré, qui représente la tradition, qui a derrière lui une longue histoire. La légitimité est essentiellement historique et traditionaliste. Cette identification à la durée se justifie, positivement et pragmatiquement : si un régime a duré, c'est qu'il répondait aux besoins, qu'il a trouvé dans les esprits une adhésion, qu'il a été efficace puisqu'il a pu déjouer les épreuves du temps. Par ailleurs, la durée sacralise, confère le prestige du passé aux institutions vénérables héritées d'autrefois.

Tout au long du xixᵉ siècle, le principe de légitimité va sous-tendre la pensée contre-révolutionnaire, la politique des régimes conservateurs et les efforts de certaines écoles politiques pour restaurer, à l'encontre du mouvement de l'histoire, les institutions héritées de l'Ancien Régime. C'est une notion capitale pour la pensée et les rapports politiques.

Cette philosophie de la légitimité prend le contre-pied de la philosophie révolutionnaire selon laquelle le passé doit être remis en question, ce qui est ancien risquant d'être désuet ou suranné. Le peuple est en droit de défaire à tout instant l'ordre traditionnel, sa volonté souveraine seule conférant la légitimité. Il peut substituer à l'héritage du passé un ordre nouveau, plus rationnel et volontaire.

Il y a donc affrontement de deux systèmes de valeurs, de deux philosophies, l'une ordonnée à l'idée de tradition et au respect de l'histoire, l'autre mettant l'accent sur la volonté souveraine de la nation.

Est-ce une contre-révolution?

La Restauration, ainsi conçue, ne saurait se limiter à la personne du souverain ou à la branche dynastique; elle doit s'étendre à tous les aspects, à tous les secteurs de la vie collective, aux formes politiques, aux institutions juridiques, à l'ordre social. Elle implique le retour intégral à l'Ancien Régime. La Révolution étant tenue pour une sorte d'accident, il convient de fermer la parenthèse et d'effacer les conséquences de l'accident. Selon la formule si significative du préambule de la Charte constitutionnelle de 1814, on renoue la chaîne des temps. Aucune formule n'est plus expressive de la philosophie politique de la contre-révolution.

La Restauration, ainsi définie, est bien la contre-révolution. Il s'agit de prendre le contre-pied des principes de 1789 et d'effacer tous les vestiges de cet égarement de l'esprit humain. La contre-révolution, c'était effectivement en 1815 une virtualité du triomphe des rois.

2. La Restauration n'est pas intégrale

Mais la Restauration ne parvient pas à rétablir entièrement la situation de 1789.

Modifications territoriales.

Tous les monarques n'ont pas été rétablis sur leur trône. De grandes modifications territoriales subsistent, il n'est que de rapprocher la carte politique de l'Europe à la veille de 1789, et la carte politique de l'Europe telle qu'elle est dessinée au lendemain du congrès de Vienne pour le constater. Les contrastes sautent aux yeux, qui illustrent ce que la Révolution impose aux négociateurs du congrès de Vienne.

Le Saint Empire romain germanique, dissous par Napoléon au lendemain d'Austerlitz, n'est pas rétabli. La Confédération germanique, qui en prend la place, n'y ressemble que de loin. Les cinquante et quelque villes libres du Saint Empire ont été absorbées dans les royaumes ou les grands duchés, les principautés ecclésiastiques ont été sécularisées, annexées aux États. Les Républiques ont également disparu : telles, en Italie, Gênes et Venise.

Dans les Provinces-Unies, le principe monarchique a définitivement prévalu sur la forme républicaine. C'est un État unitaire qui prend la suite de la vieille République fédéraliste de l'Ancien Régime.

La carte est grandement simplifiée, le nombre des États sensiblement réduit. Pour la seule Allemagne, il est passé de 360 à 39. De ce point de vue, 1815 marque une étape appréciable dans ce qu'on pourrait appeler la rationalisation ou la simplification de la carte politique de l'Europe. Le nombre des partenaires est diminué; les États sont regroupés d'une façon plus cohérente. Mais, surtout, les vainqueurs sortent agrandis de la guerre. Si la Grande-Bretagne s'est étendue hors d'Europe, les trois puissances continentales se sont agrandies en Europe même.

La Russie se taille un grand morceau de Pologne. Au nord-ouest, depuis 1809, elle a ôté la Finlande à la Suède. Depuis 1812, elle a pris à l'Empire ottoman la Bessarabie, au sud-ouest. Elle avance ainsi sur tout le front en direction de l'ouest, et sa population est passée — tant du fait de l'accroissement naturel que des annexions territoriales — de trente à cinquante millions d'habitants, entre 1789 et 1815. La Russie fait figure de grande puissance et de puissance installée presque au cœur de l'Europe, avec le déplacement vers l'ouest que matérialise l'annexion des trois quarts de la Pologne.

La Prusse a fait de même. Glissant vers l'ouest, sur la rive gauche du Rhin, détachant un morceau important de la Saxe, elle sort des guerres plus compacte, plus ramassée, agrandie de plus de moitié : sa superficie passe de 190 000 km² à 280 000 km², en 1815.

L'Autriche a perdu ce que l'on appelait avant la Révolution les Pays-Bas, c'est-à-dire la Belgique, mais elle a pris pied en Italie avec le Lombard vénitien. Installée au cœur de l'Europe centrale, maîtresse de l'Italie qu'elle contrôle directement ou par souverains interposés, étendant sa tutelle sur l'Allemagne, elle a mieux regroupé ses positions.

Géographiquement, la carte est donc profondément modifiée. On est loin du principe d'une restauration des États et des souverains dans le *statu quo* antérieur à 1789.

Modifications institutionnelles.

En ce qui concerne les institutions, les changements ne sont pas moindres. En effet, selon notre classification des régimes politiques de l'Ancien Régime en cinq types, on constate que les deux plus anciens, la féodalité et les républiques, ont fait les frais de la Révolution. Pour le reste, il s'en faut qu'on revienne à la monarchie absolue telle que les légistes et les théologiens du droit divin la formulaient, à la veille de la Révolution.

Le cas de la France — d'où la Révolution est partie — est, en l'espèce, particulièrement exemplaire puisque Louis XVIII n'a pas cru possible de revenir à l'Ancien Régime et qu'il octroie à ses sujets une Charte constitutionnelle, faisant des concessions importantes à l'expérience et aux aspirations des Français. L'existence d'une Charte est déjà par elle-même une concession de taille. L'Ancien Régime se caractérisait par l'absence de constitution. Avec la Charte constitutionnelle, il y a, désormais, un texte, une règle à laquelle on peut se référer, une constitution déguisée. En effet, malgré le préambule, qui insiste sur la concession unilatérale faite par le roi, c'est bien une constitution, une sorte de contrat passé entre le souverain restauré et la nation.

L'analyse du contenu de la Charte dissipe, à cet égard, tous les doutes. Elle prévoit des institutions représentatives, une Chambre élective (c'est un hommage au principe électif) associée à l'exercice du pouvoir législatif, qui vote le budget, en application du principe du consentement nécessaire des représentants de la nation à l'impôt. C'est, en quelque sorte, vingt-cinq ans après, la légitimation des prétentions des États généraux. Enfin, la Charte reconnaît explicitement un certain nombre de libertés que la première Révolution avait proclamées : liberté d'opinion, liberté du culte, liberté de la presse, c'est-à-dire presque tout l'essentiel du programme libéral.

Mais la France n'est pas seule à s'engager dans cette voie. En 1814-1815, c'est une floraison de textes constitutionnels, presque tous octroyés par la complaisance du souverain. Ainsi dans le nouveau royaume des Pays-Bas, formé de la réunion des Provinces-Unies et des Pays-Bas belges, la loi fondamentale, qui sera la constitution de la Hollande moderne, partage le pouvoir législatif entre le souverain et les États généraux. En 1814, également, le royaume de Norvège reçoit une constitution, la plus libérale de toutes, où le roi ne dispose que d'un veto suspensif. Le tsar lui-même accorde une constitution au grand-duché de Varsovie.

Ainsi, sous les apparences d'un retour à l'Ancien Régime et sous couleur d'une restauration, se manifestent d'appréciables concessions à l'esprit du temps et à la revendication libérale d'un texte constitutionnel.

Maintien de l'appareil administratif.

L'organisation administrative, telle que la Révolution l'a préparée en déblayant les voies, telle que Napoléon l'a réorganisée, subsiste, bien entendu, car aucun souverain, quel que soit son attachement à la philosophie contre-révolutionnaire, ne voudrait perdre le bénéfice de l'efficacité qu'assure une administration uniforme, rationalisée, hiérarchisée. Le cadre des circonscriptions est conservé, l'appareil administratif maintenu.

Les transformations sociales.

L'évidence que la restauration est loin d'être intégrale s'impose avec plus de force encore pour les transformations sociales. Partout où la Révolution a passé, elle a bouleversé les structures sociales et partout on conservera l'essentiel de ses conceptions et de ses transformations : en France, où la Charte reconnaît les libertés civiles, aux Pays-Bas, en Allemagne de l'Ouest, en Italie du Nord et jusqu'en Pologne où les codes inspirés des codes napoléoniens restent en vigueur pour une durée indéterminée. Le servage est aboli, les privilèges supprimés, la mainmorte ecclésiastique a disparu. L'égalité civile de tous devant la loi, devant la justice, devant l'impôt, pour l'accès aux fonctions publiques et administratives, est désormais la règle pour une bonne moitié de l'Europe. Les interdictions, traditionnelles dans certains États, faites à la bourgeoisie, d'acheter des terres sont tombées.

Toutes ces réformes avantagent principalement la bourgeoisie, et de fait, on est passé d'une société aristocratique à une société bourgeoise.

Ces transformations et leur conservation rapprochent entre eux les pays où elles ont été opérées. Par-dessus les différences du passé, ces réformes jettent un trait d'union et contribuent à unifier l'Europe de l'Ouest; entre la France et l'Allemagne de l'Ouest, entre les Pays-Bas et l'Italie, il y a désormais des institutions communes, une société parente. Mais, du même coup, la différence, le décalage s'accentuent entre cette Europe et l'autre Europe, celle qui n'a pas été touchée par les bouleversements révolutionnaires.

3. Un équilibre précaire

Ainsi, sous l'apparence de la Restauration, a prévalu une solution de compromis. La Restauration dissimule une acceptation, qui ne s'avoue point, d'une partie de l'œuvre de la Révolution.

Comme toute solution transactionnelle, elle est instable et précaire car exposée à des assauts de sens contraire, aux attaques de deux fractions extrêmes.

Les ultras.

D'une part, ceux qui veulent revenir en arrière, qui rêvent d'une restauration intégrale et qui ne peuvent se résigner à entériner purement et simplement les bouleversements révolutionnaires, qui refusent de transiger, pour qui la Révolution est satanique. Comment pourrait-on pactiser avec le Mal? Il convient d'extirper toutes les survivances de la Révolution. Telle est la position intellectuelle des ultras, en France, tel le programme de la Chambre introuvable, élue dans l'été 1815.

Mais les ultras, il en est dans tous les pays, car, dans l'Europe de 1815, subsiste encore une société d'Ancien Régime, avec une aristocratie propriétaire, une paysannerie serve ou docile, une société qui ne conçoit pas d'autre ordre valable que l'ordre ancien, qui vise à rétablir dans son intégralité l'Europe d'autrefois. Tel est aussi le programme de la Sainte-Alliance.

La présence de ces ultras, leur agitation, leurs exigences perpétuelles, leurs menées, font peser sur la solution de transaction une menace constante qui inquiète, à juste titre, ceux qui sont attachés à l'héritage de la Révolution.

Les libéraux.

D'autre part, il y a tous ceux qui ne prennent pas leur parti de la défaite de la Révolution et qui entendent aller jusqu'au bout de ses conséquences, tous ceux qui n'acceptent pas les traités de 1815. Pour ceux-là, les idées de la Révolution ne sont pas mortes, le double héritage de transformation des institutions et d'émancipation nationale demeure vivace. Le nom de Liberté reste leur mot d'ordre : liberté politique à l'intérieur, liberté nationale; ils opposent à la Sainte-Alliance des rois, la Sainte-Alliance des peuples. Une solidarité internationale se dessine, par-dessus les frontières, entre jacobins ou libéraux de tous les pays, contre la solidarité des puissances établies et des souverains restaurés.

En 1815, la situation se caractérise ainsi sur le plan des institutions par le compromis et sur le plan des forces par l'antagonisme de deux camps dont aucun n'est satisfait de l'ordre des choses, les uns voulant revenir à l'Ancien Régime et les autres pousser jusqu'à leurs dernières conséquences les principes de la Révolution. L'affrontement de ces deux camps sera le fil directeur, le principe explicatif de l'agitation qui va secouer l'Europe. 1815 est un armistice, une pause dans une Europe épuisée par vingt-cinq années de guerres, civiles et étrangères, et qui aspire au repos. Mais les passions politiques ne vont pas tarder à se réveiller; elles vont se cristalliser, les unes autour de l'idée de liberté, les autres autour de la notion de légitimité. L'opposition de ces deux camps, de ces deux Sainte-Alliance, donne à l'histoire politique de l'Europe, entre 1815 et 1848, sa pleine signification.

2

L'âge du libéralisme

Le mouvement libéral est la première vague de mouvements qui donne l'assaut à ce qui subsiste de l'Ancien Régime, ou à ce qui vient d'en être restauré en 1815. L'appellation « libérale » est celle qui convient le mieux, car elle caractérise la notion maîtresse, la clé de voûte de l'architecture intellectuelle de tous ces mouvements.

Le libéralisme est un des grands faits du XIXe siècle qu'il domine tout entier et pas seulement dans la période où tous les mouvements se réclament explicitement de la philosophie libérale. Longtemps après 1848, on trouvera encore quantité d'hommes politiques, de philosophes dont la pensée est marquée par le libéralisme. Un Gladstone est typiquement libéral, comme une bonne partie du personnel politique de l'Angleterre. D'autres pays aussi, diverses familles spirituelles en sont imprégnés, car le libéralisme, même s'il est généralement anticlérical, comporte néanmoins une variante religieuse; il y a ainsi un catholicisme libéral que personnifient Lacordaire ou Montalembert. Il s'agit donc d'un phénomène historique d'une grande importance qui donne au XIXe siècle une part de sa couleur, et qui a contribué à sa grandeur, car le XIXe est un grand siècle en dépit des légendes et des procès de tendances.

Dans tous les pays il existe entre toutes les formes de libéralisme une parenté certaine qui se traduit, jusque dans les relations concrètes, en une sorte d'internationale libérale dont font partie les mouvements, les hommes qui combattent pour le libéralisme. Cette internationale libérale est différente des internationales ouvrières et socialistes de la seconde moitié du siècle en ce qu'elle ne comporte pas d'institutions. S'il n'y a pas d'organisme international, il n'y en a pas moins échanges et relations; ainsi, les soldats, rendus disponibles par le retour à la paix en 1815, vont combattre sous des drapeaux libéraux, contre l'Ancien Régime. Quand l'armée française franchit les Pyrénées, en 1823, pour porter assistance au roi Ferdinand VII contre ses sujets révoltés, elle se heurte, à la frontière, à une poignée de compatriotes libéraux, qui déploient le drapeau tricolore. Cette internationale des libéraux s'est manifestée en faveur des révolutions d'Amérique latine et du mouvement philhellène, en Grèce, contre les Turcs. En 1830-1831, Louis-Napoléon — le futur empereur — se bat aux côtés des carbonari, dans les Romagnes, où son frère est tué.

Cet internationalisme libéral est le précurseur de l'internationalisme socialiste, mais aussi l'héritier du cosmopolitisme intellectuel du xviiie siècle. La différence est que, au xviiie siècle, le cosmopolitisme est le fait des princes, des salons, de l'aristocratie, alors qu'au xixe siècle, il gagne les couches sociales plus populaires, est le fait des soldats, des insurgés.

Pour étudier le mouvement libéral, il est bon de dégager deux approches distinctes, l'une idéologique qui s'attache aux idées, et l'autre sociologique qui considère les assises sociales, proposant deux interprétations assez différentes du même phénomène mais, en définitive, plus complémentaires que contradictoires.

1. L'idéologie libérale

Prenons d'abord la voie la plus intellectuelle, celle qui privilégie les idées, examine les principes, étudie les programmes. C'est l'interprétation du libéralisme que proposent généralement les libéraux eux-mêmes; c'est aussi la plus flatteuse. C'est l'aspect qui s'impose sous la plume des contemporains, l'idéologie du libéralisme telle qu'elle s'exprime dans les ouvrages de philosophie politique de Benjamin Constant, à la tribune des assemblées parlementaires, dans la presse, dans les pamphlets.

La philosophie libérale.

Le libéralisme est d'abord une philosophie globale. J'y insiste, car il arrive souvent, aujourd'hui, qu'on le réduise à son aspect économique qui doit être replacé dans une perspective plus large et n'est qu'un point d'application d'un système complet englobant tous les aspects de la vie en société, et qui croit avoir réponse à tous les problèmes posés par l'existence collective.

Le libéralisme est aussi une philosophie politique tout entière ordonnée à l'idée de liberté, selon laquelle la société politique doit être fondée sur la liberté et trouver sa justification dans la consécration de celle-ci. Il n'est de société viable — et à plus forte raison légitime — que celle qui inscrit au fronton de ses institutions la reconnaissance de la liberté. Sur le plan des régimes et du fonctionnement des institutions, cette primauté comporte des conséquences dont nous étudierons l'ampleur.

C'est également une philosophie sociale individualiste dans la mesure où elle fait passer l'individu avant la raison d'État, les intérêts du groupe, les exigences de la collectivité; le libéralisme ne connaît guère les groupes sociaux, et il n'est que de se souvenir de l'hostilité de la Révolution à l'égard des corps et des ordres, de la défiance que lui inspirait le phénomène de l'association, de sa répugnance à reconnaître la liberté d'association de peur que l'individu ne soit absorbé, asservi par les groupes.

C'est encore une philosophie de l'histoire, selon laquelle l'histoire est faite, non par les forces collectives, mais par les individus.

C'est enfin — et c'est en cela que le libéralisme mérite le mieux le terme de philosophie — une certaine philosophie de la connaissance et de la vérité. En réaction contre la méthode d'autorité, le libéralisme croit à la découverte progressive de la vérité par la raison individuelle. Foncièrement rationaliste, il s'oppose au joug de l'autorité, au respect aveugle du passé, à l'empire du préjugé comme aux poussées de l'instinct. L'esprit doit pouvoir chercher lui-même la vérité, sans contrainte, et c'est de la confrontation des points de vue que doit peu à peu se dégager une vérité commune. Le parlementarisme n'est, à cet égard, que la traduction, au plan politique, de cette confiance dans la vertu du dialogue. Les assemblées représentatives fournissent un cadre à cette recherche commune d'une vérité moyenne, acceptable par tous. On entrevoit les conséquences que cette philosophie de la connaissance implique : le rejet des dogmes imposés par les Églises, l'affirmation du relativisme de la vérité, la tolérance.

Ainsi défini, le libéralisme apparaît bien comme une philosophie globale au même titre que la pensée contre-révolutionnaire ou que le marxisme, une réponse à tous les problèmes que l'on peut se poser, dans la société, sur la liberté, sur ses relations avec les autres, sur son rapport à la vérité. C'est une grave erreur de ne voir dans le libéralisme que ses applications à la production, au travail, aux relations entre producteurs et consommateurs.

Les conséquences juridiques et politiques.

Pareille philosophie entraîne un éventail de conséquences pratiques. C'est de ses postulats fondamentaux que procède la lutte des libéraux, au XIXe siècle, contre l'ordre établi, contre toute autorité, à commencer par celle de l'État, puisque le libéralisme est une philosophie politique.

Le libéralisme se défie foncièrement de l'État et du pouvoir, et tout libéral souscrit à l'affirmation que le pouvoir est en soi mauvais, son usage pernicieux, et que, s'il faut bien s'en accommoder, il faut aussi tenter de le réduire autant que faire se peut. Le libéralisme rejette donc sans réserve tout pouvoir absolu et au début du XIXe siècle, la monarchie absolue étant la forme ordinaire du pouvoir, c'est contre elle qu'il combat. Au XXe siècle, le combat libéral se reconvertira aisément de la lutte contre l'Ancien Régime au combat contre les régimes totalitaires, contre les dictatures, mais également contre l'autorité populaire. Le libéral refuse de choisir entre Louis XIV et Napoléon.

Pour éviter le retour à l'absolutisme, à une autorité sans limite, le libéralisme propose toute une gamme de formules institutionnelles. Le pouvoir doit être limité et comment mieux le limiter qu'en le fractionnant, c'est-à-dire en appliquant le principe de la séparation des pouvoirs, qui apparaît, dans cette perspective, comme une règle fondamentale? A tel point que la Déclaration des Droits de l'homme et du citoyen dit, en propres termes, qu'une société qui ne repose pas sur le principe de la séparation des pouvoirs, n'est pas une société réglée. La séparation des pouvoirs, n'est pas seulement une formule technique et pragmatique, elle apparaît au libéralisme comme un principe primordial puisqu'elle garantit l'individu contre l'absolutisme.

Le pouvoir doit être également morcelé en organes de force égale, car l'équilibre des pouvoirs n'importe pas moins que leur séparation. Inégaux, le risque serait grand de voir le plus puissant absorber les autres, tandis qu'égaux, ils se neutralisent.

Déclaré ou caché, l'idéal du libéralisme est toujours le pouvoir le plus faible possible, et certains ne dissimulent pas que le meilleur gouvernement, selon eux, est le gouvernement invisible, celui dont l'action ne se fait pas sentir.

La décentralisation est un autre moyen de limiter le pouvoir. On veillera à transférer du centre à la périphérie, et du sommet à des échelons intermédiaires, une bonne part des attributions que le pouvoir central tend à se réserver.

Une autre façon de restreindre encore le pouvoir est de limiter son champ d'activité et ainsi s'explique la doctrine de la non-intervention en matière économique et sociale. L'État doit laisser jouer librement l'initiative privée, individuelle ou collective, et la concurrence. C'est la conception dite de l'État-gendarme (mais l'image peut être de nos jours équivoque, du fait de la confusion avec la police), un gendarme qui n'intervient qu'en cas de flagrant délit, disons d'un État garde champêtre.

Dernière précaution — peut-être la plus importante —, l'agencement du pouvoir doit être défini par des règles de droit consignées dans des textes écrits et dont le respect sera contrôlé par des juridictions, les infractions étant déférées à des tribunaux et sanctionnées. C'est un des rôles du parlementarisme que d'exercer un contrôle sur le fonctionnement régulier du pouvoir. La Grande-Bretagne est le pays qui a su le mieux traduire cette philosophie et ces aspirations dans des institutions et dans une pratique.

Défiance de l'État, défiance du pouvoir, la défiance n'est pas moindre à l'égard des groupes et des corps, de tout ce qui risque d'étouffer l'initiative de l'individu. Le libéralisme incline naturellement à l'émancipation de tous les membres de la famille et le féminisme, qui affranchira la femme de la tutelle maritale, est un prolongement du libéralisme, la victoire des majorités libérales entraînant habituellement l'adoption du divorce. Pour éviter que la profession ne reconstitue une tutelle, on interdira corporations et syndicats. Le libéralisme est également contre les autorités intellectuelles ou spirituelles, Églises, religions d'État, dogmes imposés et même s'il y a un libéralisme catholique, le libéralisme est anticlérical.

Compte tenu de ces conséquences et de ces applications, le libéralisme apparaît, au XIXe siècle, comme une doctrine subversive. Et, de fait, c'est une force proprement révolutionnaire dont l'élan implique le rejet des autorités, qui condamne toutes les institutions qui ont survécu à la tourmente révolutionnaire ou ont été remises en place par la Restauration, et porte en lui la destruction de l'ordre ancien. C'est une foi de remplacement, une forme de religion pour tous ceux qui ont déserté les religions traditionnelles, un idéal qui a ses prophètes, ses apôtres, ses martyrs. Religion de la liberté, le libéralisme a pu être, pour beaucoup, au moins dans la première moitié du siècle, une cause qui méritait qu'on y sacrifiât, éventuellement, son existence. Le libéralisme inspire alors les révolutions, fait surgir les barricades, des milliers d'hommes se sont fait tuer pour l'idée libérale.

Idée subversive, ferment révolutionnaire, cause digne de tous les dévouements et de toutes les générosités, telle est l'interprétation que nous propose une étude au niveau des idées. L'approche idéologique conduit à la conclusion que le libéralisme a suscité, exalté, chez les Européens, les sentiments les plus nobles, les vertus les plus hautes. Elle propose une vision idéaliste du libéralisme.

2. La sociologie du libéralisme

Toute différente est la vision qui se dégage d'une approche sociologique, qui, au lieu d'examiner les principes, considère les acteurs et les forces sociales.

Le libéralisme, expression des intérêts de la bourgeoisie.

La vision sociologique est relativement récente, nettement postérieure aux événements, et en réaction contre l'idéalisme de la précédente interprétation. Mettant l'accent sur les conditionnements socio-économiques, les déterminations par les intérêts, cette approche corrige notre interprétation historique et suggère que le libéralisme est, au moins autant qu'une philosophie, l'expression d'un groupe social, la doctrine qui sert le mieux les intérêts d'une classe.

Si, à l'appui de cette affirmation, on fait intervenir la géographie et la sociologie du libéralisme, on constate que les pays où le libéralisme apparaît, où les théories libérales ont rencontré le plus de sympathie, où se sont épanouis les mouvements libéraux, sont ceux où il existe une bourgeoisie déjà importante.

En prolongeant l'analyse géographique par un examen sociologique, on constate également que la catégorie sociale — et le vocabulaire est révélateur à cet égard — dans laquelle le libéralisme recrute essentiellement ses doctrinaires, ses avocats, ses adeptes, est celle des professions libérales et de la bourgeoisie commerçante.

La conclusion se devine : le libéralisme est l'expression, voire l'alibi, le masque des intérêts d'une classe. La concordance est trop étroite entre les applications de la doctrine libérale et les intérêts vitaux de la bourgeoisie.

Qui donc tire le plus intérêt, en France ou en Grande-Bretagne, du libre jeu de l'initiative politique ou économique, sinon la classe sociale la plus instruite et la plus riche? La bourgeoisie a fait la Révolution et la Révolution lui a remis le pouvoir; elle entend le garder, contre un retour de l'aristocratie et contre la montée des couches populaires. La bourgeoisie se réserve le pouvoir politique par le cens. Elle contrôle l'accès à toutes les fonctions publiques et administratives. Aussi, l'application du libéralisme tend à maintenir l'inégalité sociale.

La vision idéaliste insistait sur l'aspect subversif, révolutionnaire, sur la portée explosive des principes, mais, dans la pratique, ces principes ont toujours été appliqués dans des limites étroites. L'interdiction, par exemple, des groupements a des effets inégaux selon qu'elle s'applique aux patrons ou à leurs employés. L'interdiction de reconstituer les corporations ne lèse guère les patrons et ne les empêche pas de se concerter officieusement. Il leur est plus aisé de tourner les dispositions de la loi qu'à leurs employés. Au reste, même s'ils respectaient l'interdiction, cela n'affecterait guère leurs bénéfices, tandis que les salariés, faute de pouvoir se grouper, en sont réduits à accepter sans discussion les conditions que leur imposent les employeurs. Ainsi, sous une trompeuse apparence d'égalité, l'interdiction des associations fait le jeu du patronat. De même à la campagne, entre le propriétaire qui a assez de biens au soleil pour subsister, et celui qui n'a rien, et ne peut vivre que du travail de ses bras, la loi est inégale. La liberté d'enclore ne vaut que pour ceux qui ont quelque chose à clôturer; pour les autres, c'est la privation de la possibilité d'élever quelques bêtes en profitant de la vaine pâture. De plus, l'inégalité n'est pas toujours camouflée et l'on trouve, dans la loi et les codes, des discriminations caractérisées, tel cet article du Code pénal prévoyant qu'en cas de litige entre employeur et employé, le premier serait cru sur parole, l'autre devant apporter la preuve de ses dires.

Le libéralisme est donc le déguisement de la domination d'une classe, de l'accaparement du pouvoir par la bourgeoisie possédante : c'est la doctrine d'une société bourgeoise qui impose ses intérêts, ses valeurs, ses croyances.

Cette assimilation du libéralisme à la bourgeoisie n'est pas contestable et l'approche sociologique a le grand mérite de rappeler, à côté d'une vision idéalisée, l'existence d'aspects importants de la réalité qui montre l'envers du libéralisme et révèle qu'il est aussi une doctrine de conservation politique et sociale.

Force subversive d'opposition à l'Ancien Régime, à l'absolutisme, à l'autorité, il a aussi une pente conservatrice. Le libéralisme se gardera bien de remettre au peuple ce pouvoir qu'il a arraché au monarque. Il le réserve à une élite, car la souveraineté nationale, dont se réclament les libéraux, est autre chose que la souveraineté populaire et le libéralisme n'est pas la démocratie ; nous retrouvons, dans une perspective qui l'éclaire maintenant de façon décisive, cette distinction capitale, cet affrontement entre libéralisme et démocratie qui a dominé tout le milieu du XIX⁰ siècle.

Tant que le libéralisme est dans l'opposition, qu'il doit lutter contre les forces de l'Ancien Régime, la monarchie, les ultras, les contre-révolutionnaires, les Églises, l'accent est mis sur son aspect subversif et combatif. Mais, que les libéraux accèdent au pouvoir et c'est son aspect conservateur qui prend, désormais, le pas. On ne le voit nulle part mieux que dans l'histoire intérieure de la France. Le libéralisme est donc une doctrine ambiguë qui combat, tour à tour, deux adversaires, le passé et l'avenir, l'Ancien Régime et la démocratie future.

Le libéralisme ne se réduit pas à l'expression d'une classe.

Si l'approche sociologique met judicieusement en valeur l'aspect ambigu du libéralisme, est-ce à dire qu'elle efface complètement la version idéalisée? Non pas. Et même l'approche sociologique appelle certaines précisions et certaines réserves.

Le libéralisme ne se confond pas avec une classe et il y a quelque outrance à vouloir le réduire à l'expression des intérêts de la bourgeoisie d'argent : si la bourgeoisie est généralement libérale, il est excessif de conclure qu'elle n'a adopté le libéralisme qu'en fonction de ses intérêts, elle peut l'avoir fait aussi par conviction et, partiellement, par générosité. Les idéologies ne sont pas le simple camouflage des positions sociales. Il est rare que les options soient aussi nettes, car, dans la pratique, les hommes sont à la fois moins conscients de leurs réels intérêts et moins cyniques. Si vraiment le libéralisme se réduisait à la défense d'intérêts matériels, comment expliquer que tant de gens aient accepté de perdre la vie pour lui? Leur intérêt premier n'était-il pas de conserver l'existence? L'interprétation sociologique ne rend pas compte de ces martyrs de la liberté.

C'est un faux dilemme que d'opposer principes et intérêts. Ils peuvent aller dans le même sens sans que, pour autant, les intérêts étouffent les principes. Dans la première moitié du xixᵉ siècle, la contradiction — sur laquelle depuis de nombreuses philosophies ont mis l'accent — entre les principes et les intérêts n'est pas aussi manifeste, ni aussi choquante.

Le terme de comparaison qui s'impose aux contemporains, ce n'est pas la démocratie du xxᵉ siècle, c'est l'Ancien

Régime. Ils sont donc plus sensibles aux progrès accomplis qu'aux restrictions du libéralisme, ils accordent moins d'importance aux limitations dans l'application des principes, qu'à l'énorme révolution accomplie. La société est relativement ouverte, elle fait une place au talent, à la culture, à l'intelligence; c'est autant une bourgeoisie de fonction, administrative, une bourgeoisie de culture, universitaire, qu'une bourgeoisie d'argent. Le terme de « capacités » revient fréquemment dans le vocabulaire de l'époque. Ainsi, sous la monarchie de Juillet, l'opposition fera campagne pour l'élargissement du droit de vote aux « capacités ». On entend par là les intellectuels, les cadres administratifs, ceux qui, ne remplissant pas les conditions de fortune exigées pour appartenir au pays légal — les 200 F du cens —, répondent aux conditions d'ordre intellectuel.

Le libéralisme à ses débuts, jusqu'à la révolution industrielle, n'a pas encore développé les conséquences sociales que les critiques socialistes souligneront ensuite. Dans une économie encore traditionnelle, où le grand capitalisme se réduit à peu de chose, dans une société fondée sur la propriété de la terre, le libéralisme ne permet ni la concentration des biens ni l'exploitation de l'homme par l'homme. La révolution a, dans un premier temps, libéré plus qu'elle n'a opprimé.

Les deux faces du libéralisme.

Si donc nous voulons comprendre et apprécier le libéralisme, nous n'avons pas à choisir entre les deux interprétations, à opter entre l'aspect idéologique et l'approche sociologique. Les deux concourent à définir l'originalité du libéralisme et à révéler ce qui en est un des traits constitutifs, cette ambiguïté qui fait que le libéralisme a pu être, tour à tour, révolutionnaire et conservateur, subversif et confor-

miste. Les mêmes hommes passeront de l'opposition au
pouvoir, les mêmes partis du combat contre le régime à la
défense des institutions. Ce faisant, ils ne feront que révéler
successivement deux aspects complémentaires de cette même
doctrine, ambiguë par elle-même, qui rejette l'Ancien Régime
et qui ne veut pas de la démocratie intégrale, qui se situe à
mi-chemin entre ces deux extrêmes et dont la meilleure
définition est sans doute le sobriquet donné à la monarchie
de Juillet : « le juste milieu ». C'est parce que le libéralisme
est un juste milieu que, vu de droite, il apparaît révolutionnaire et que, considéré de gauche, il apparaît comme
conservateur. Il a livré, tour à tour, deux combats, sur deux
fronts distincts : d'abord, contre la conservation, l'absolutisme, ensuite, contre la poussée de forces sociales, de
doctrines politiques plus avancées que lui-même, radicalisme, démocratie intégrale, socialisme.

C'est la conjonction de l'idéal et de la réalité, la convergence d'aspirations intellectuelles et sentimentales, mais
aussi d'intérêts bien tangibles, qui ont fait la force du
mouvement libéral, entre 1815 et 1840. Réduit à une philosophie politique, il n'aurait sans doute pas mobilisé de gros
bataillons ; confondu avec la défense pure et simple d'intérêts, il n'aurait pas suscité des dévouements désintéressés
allant jusqu'au sacrifice suprême.

3. Les étapes de la marche du libéralisme

Le libéralisme a transformé l'Europe telle qu'elle est
apparue en 1815 tantôt grâce aux réformes — par le biais
de l'évolution progressive, sans violence —, tantôt en ayant
recours à l'évolution par mutation révolutionnaire. Entre

les deux, le libéralisme ne trouve pas, dans sa doctrine, de raison de préférer l'une à l'autre. S'il peut faire l'économie de la révolution, il s'en réjouit. En fait, ce fut rarement le cas.

Il n'y a guère qu'en Angleterre, aux Pays-Bas, dans les pays scandinaves, que le libéralisme a transformé peu à peu le régime et la société, par la voie des réformes. Partout ailleurs, acculé par la résistance obstinée des défenseurs de l'ordre établi refusant toute concession, le libéralisme a recouru au mode révolutionnaire. C'est l'attitude de Charles X, en 1830, et la promulgation d'ordonnances qui violaient le pacte de 1814, qui poussent les libéraux à faire la révolution pour renverser la dynastie. De même, la politique obstinée de Metternich conduira l'Autriche, en 1848, à la révolution.

L'esprit du siècle, le climat, la sensibilité romantique, l'exemple de la Révolution française et la mythologie qui en procède orientent également vers des solutions de type révolutionnaire. C'est une des conséquences du romantisme que la préférence sentimentale pour la violence; toute une mythologie de la barricade, de l'insurrection triomphante, du peuple en armes, impose les solutions révolutionnaires et un grand roman épique comme *les Misérables* est, à cet égard, un bon témoin de l'esprit du temps. Le « soleil de juillet », en 1830, le « printemps des peuples », en 1848, autant d'expressions qui attestent le messianisme révolutionnaire, cette sorte de culte de la révolution, ce qu'un siècle plus tard, Malraux, à propos de la guerre d'Espagne, appellera l' « illusion lyrique ».

Dans la première moitié du siècle, le mouvement libéral se décompose en une succession de vagues. En en rappelant brièvement la chronologie, on verra se dessiner la carte du libéralisme en action et en armes.

Premier épisode en 1820.

Le libéralisme prend la forme de conspirations militaires. L'armée est, à l'époque, le foyer du libéralisme, mais aussi son instrument pour n'avoir pas perdu le souvenir des guerres napoléoniennes et en garder la nostalgie. En France, une série de complots — dont le plus connu est celui qui se termine sur l'échafaud par l'exécution des quatre sergents de La Rochelle —, au Portugal, en Espagne, les ancêtres des pronunciamientos, à Naples, au Piémont, les insurrections libérales prennent la forme d'une sédition armée. Jusqu'en Russie avec le mouvement décabriste, en 1825. Des officiers ou des sous-officiers sont l'âme de ces conspirations qui toutes échouent, soit déjouées par la police, soit écrasées par une intervention armée, souvent extérieure; ainsi en Italie où les soldats autrichiens rétablissent l'ancien régime.

Seconde secousse en 1830.

Cette vague sismique de plus grande ampleur en plusieurs pays lézarde l'édifice politique et le jette bas. Par rapport aux mouvements de 1820, on peut parler véritablement de révolution, car les forces populaires entrent en jeu.

Le destin de ces mouvements est très différent, selon les régions. A l'ouest, les révolutions triomphent. En France, la branche aînée est détrônée, la branche cadette lui succède, la Charte est révisée et un régime libéral prend la suite de la Restauration. Les libéraux gouvernent désormais à égale distance de la contre-révolution et de la démocratie.

En Belgique, la révolution ne se réduit pas à une réplique de la Révolution française, car en plus de l'aspect libéral analogue à la France, elle présente un caractère national, dirigé contre l'unité à l'intérieur du royaume des Pays-Bas. La Belgique émancipée est une réalisation exemplaire du libéralisme. Son indépendance est le fruit de l'alliance entre libéraux et catholiques; elle se donne des institutions libérales — la Constitution de 1831 —, et l'économie du nouvel État va connaître un essor rapide qui illustre la supériorité des maximes libérales sur le mercantilisme de l'Ancien Régime. Mais les révolutions échouent presque partout ailleurs; sans doute étaient-elles prématurées.

En 1848, le libéralisme sera mêlé, de façon souvent indissociable, à la démocratie et les révolutions de 1848 verront le succès précaire, puis l'écrasement à la fois du libéralisme et de la démocratie.

Les tentatives des libéraux.

C'est sous l'égide du libéralisme que l'unité italienne s'accomplira. Cavour est un libéral. En février 1848, la monarchie piémontaise se libéralise quand Charles-Albert accorde un statut constitutionnel qui est le décalque de la Charte révisée en 1830. On peut dire qu'en février 1848, le Piémont se met à l'heure de la révolution de juillet 1830 en France, avec un décalage un peu comparable à celui qui existe entre les États-Unis et l'Europe. La vie politique piémontaise a été dominée, à partir de 1852, par ce que le vocabulaire politique italien appelle le *connubio*, l'union des différentes fractions de libéraux. De 1852 à 1859, le gouvernement pratique une politique typiquement libérale, dans le domaine financier, mais aussi religieux avec la sécularisation des biens des congrégations.

Le libéralisme triomphe encore dans les États scandinaves, aux Pays-Bas, en Suisse, mais ne s'acclimate guère dans la péninsule ibérique où la conjoncture ne lui est pas favorable.

En Allemagne, le libéralisme a une histoire singulièremen: accidentée. Ayant commencé par triompher dans plusieurs États, on peut croire après 1815 que l'Allemagne sera un des pays où le libéralisme s'épanouira. En 1820, l'agitation universitaire et estudiantine est typiquement libérale et plusieurs souverains accordent des constitutions libérales. En 1830, l'Allemagne est à nouveau secouée par une vague libérale qui a son point d'origine à Paris. Mais ce libéralisme est contenu, l'Autriche y veille. En 1848, il s'affirme à nouveau au Parlement de Francfort, qui est la première expression politique de l'Allemagne unie. Les idées qui y ont cours sont libérales, mais ce libéralisme ne survivra guère à l'expérience de Francfort. C'est que le libéralisme a connu, en Allemagne, un dilemme. En effet, quand le roi de Prusse confie en 1862 à Bismarck la chancellerie, celui-ci veut réaliser l'unité, mais n'entend pas le faire par des voies libérales, alors que jusque-là unité et libéralisme étaient liés. Bismarck oblige donc les libéraux à choisir entre l'unité et le libéralisme. Les libéraux se divisent alors en une minorité qui reste fidèle à la philosophie libérale et préfère renoncer à l'unité et une majorité qui donne la priorité à l'unité et se résigne à faire son deuil des libertés parlementaires. Cette scission a durablement affaibli le libéralisme allemand et il faudra attendre la république de Weimar pour voir reparaître le libéralisme comme force politique, dans l'Allemagne moderne.

En Autriche, c'est plus tard encore que se dessinent les prodromes du mouvement libéral, dans la seconde moitié du siècle. Après 1867 et l'acceptation du dualisme, l'empereur octroie à l'Autriche une constitution qui favorise le développement d'un régime libéral.

En Russie, l'expérience des décabristes anticipe d'un siècle ou presque. Un libéralisme modéré inspire cependant quelques-unes des initiatives du tsar réformateur Alexandre II. En

1870, par exemple, les *zemstvos,* sortes de conseils généraux, se voient confier certaines responsabilités locales concernant la voirie, l'assistance, les hôpitaux, l'instruction. Une élite cultivée y fera l'expérience du libéralisme, mais c'est seulement à partir de la révolution de 1905 que le libéralisme triomphe en Russie avec le parti constitutionnel démocrate qui représente dans la vie politique russe, les idées libérales qui avaient triomphé soixante-quinze ans plus tôt, dans la France de la monarchie de Juillet.

Ainsi la chronologie dessine les étapes de l'expansion libérale. La géographie n'est pas moins instructive. Le libéralisme se développe d'abord dans un domaine relativement restreint — l'Europe occidentale — puis il s'étend, de proche en proche, au reste de l'Europe. Son étude devrait d'ailleurs être élargie au-delà de l'Europe, et l'on trouve dans plusieurs pays colonisés, les héritiers du libéralisme européen. Un exemple seulement : le parti du Congrès, qui se fonde aux Indes, en 1885, à l'instigation des autorités britanniques, est d'inspiration libérale et se propose de former une élite politique anglo-indienne, dont le programme sera le *self-government,* l'extension à l'Inde des institutions parlementaires qui, depuis un siècle, se sont développées en Angleterre. Ainsi, presque toujours, le mouvement d'émancipation coloniale a été amorcé par une génération formée à l'école du libéralisme occidental.

Le domaine du libéralisme ne se restreint donc pas aux quelques pays qui constituent son terrain d'élection, mais par le canal des idées européennes englobe le monde entier.

4. Les résultats

Quel a été le bilan de ces mouvements libéraux? Ont-ils laissé leur marque sur les institutions politiques et sur l'ordre social? La même question peut se formuler en en renversant les termes : à quels signes reconnaît-on qu'un régime politique est libéral? Quels critères permettent de dire de telle ou telle société que son organisation est conforme aux principes du libéralisme?

Nous examinerons tour à tour les caractéristiques de l'ordre politique inspiré du libéralisme et les traits constitutifs des sociétés imprégnées de cette philosophie.

Les régimes politiques libéraux.

En raison de leur identité d'inspiration, les régimes libéraux présentent entre eux des traits communs. Dans la plupart des pays, les progrès du libéralisme se mesurent à l'adoption d'institutions dont la réunion définit le régime libéral type.

En premier lieu, le libéralisme d'un régime se reconnaît d'abord à l'existence d'une constitution. Par rapport à l'absence de textes de l'Ancien Régime, c'est une nouveauté radicale de la Révolution, qui imagine, pour la première fois en Europe — les États-Unis ayant montré l'exemple — de définir par écrit l'organisation des pouvoirs et le système de leurs relations mutuelles. Au XIXᵉ siècle, les régimes libéraux reprennent tous à leur compte le précédent révolutionnaire.

Ces constitutions sont établies dans des conditions

variables : c'est parfois le souverain qui l'octroie et la présente comme un geste gracieux tandis qu'en d'autres circonstances, la constitution est votée par les représentants de la nation.

Pour ne prendre qu'un exemple, la France associe les deux cas. La Charte, dans son texte initial, est promulguée par Louis XVIII, le 4 juin 1814. Il s'agit d'un texte octroyé — le préambule y insiste à plaisir pour dissimuler les concessions que comporte la Charte. Seize ans plus tard, après la chute de Charles X, la Charte est révisée par la Chambre des députés et c'est après qu'il ait prêté serment à la nouvelle Charte révisée que Louis-Philippe est appelé à monter sur le trône. Ainsi le même texte (à peine amendé) a d'abord été octroyé puis élaboré par les représentants de la nation.

L'existence d'un texte constitutionnel est un des critères auxquels on reconnaît le libéralisme d'une société politique : elle signifie, en effet, la rupture avec l'ordre traditionnel, la substitution à un régime hérité du passé, produit de la coutume, d'un régime qui est désormais l'expression d'un ordre juridique. C'est là une nouveauté radicale. Peu importe, en un sens, l'étendue des concessions ou la portée des garanties à la liberté individuelle ou collective, l'essentiel est qu'il y ait une règle, un contrat qui fixe et précise les relations entre les pouvoirs. Comme la plupart des philosophies de la première moitié du XIXe siècle, et sans avoir conscience de ce qu'elle a de formaliste, la pensée libérale est donc essentiellement juridique. Ce n'est que plus tard que l'évolution tendra à substituer aux concepts juridiques des réalités sociales et économiques.

En second lieu, ces constitutions tendent toutes à limiter le pouvoir. C'est même leur raison d'être. Toutes ont en commun de tracer des frontières, d'assigner des limites à son action. Le libéralisme se définit par son opposition à la notion d'absolutisme. Que l'on prenne n'importe quelle constitution, toutes enferment l'exercice du pouvoir royal dans une sphère désormais délimitée, que ce soient la Charte française de 1814, la constitution du royaume des Pays-Bas, la constitution norvégienne ou les textes accordés par les souverains de l'Allemagne moyenne ou méridionale (Bavière, Wurtemberg, Bade, Saxe-Weimar) entre 1818 et 1820, ou bien, plus tard, la constitution belge de 1831, ou plus tard encore, le statut constitutionnel du Piémont, en 1848. Il conviendrait d'ajouter à cette énumération la constitution espagnole de 1812 qui n'a pas été longtemps appliquée mais a beaucoup servi comme référence. Le texte en avait été élaboré par la junte insurrectionnelle de Séville. Suspendu après le retour de Ferdinand VII, c'est pour le remettre en vigueur qu'éclate l'insurrection de 1820.

Le pouvoir est donc limité mais cela n'exclut pas qu'il soit monarchique. Le libéralisme n'est d'ailleurs hostile ni à la forme monarchique ni au principe dynastique mais seulement à l'absolutisme de la monarchie. Monarchie et libéralisme font même bon ménage, car la présence d'une monarchie héréditaire est une garantie contre les poussées démagogiques et les violences populaires.

Limitée par l'existence d'une représentation de la nation — sous des noms très divers, ici, Chambre, ailleurs, Diète, ailleurs encore, États généraux —, la décision politique est désormais partagée entre la couronne et la représentation nationale. Cette représentation est ordinairement double : le libéralisme est acquis au bicaméralisme. Plus il y a de pouvoirs et moins le risque est grand que l'un d'eux s'arroge la totalité de la puissance. Deux Chambres, c'est la formule idéale qui permet de diviser, d'équilibrer, de compenser. A une Chambre basse fait contrepoids une Chambre haute, composée de descendants de l'aristocratie ou de membres choisis par le pouvoir. On contient mieux ainsi les mouvements d'humeur ou la turbulence des passions populaires : la présence d'une seconde Chambre en régime démocratique est généralement un vestige du libéralisme.

Le caractère transactionnel du libéralisme se marque à la composition du corps électoral : nulle part le libéralisme n'adopte le suffrage universel et quand celui-ci est introduit, c'est le signe que le libéralisme a cédé la place à la démocratie.

On distingue traditionnellement deux conceptions de l'électorat : celle selon laquelle le droit de vote est un droit naturel, inhérent à la citoyenneté, qui est la conception la plus démocratique, et celle de l'électorat-fonction, selon laquelle le droit de vote n'est qu'une fonction, une sorte de service public, dont la nation décide d'investir telle ou telle catégorie de citoyens, introduisant par là même une distinction entre le pays légal et le pays réel, cette dernière conception étant naturellement la plus conforme à l'idéal libéral. Dans une société libérale, le fait que seule une minorité dispose du droit de vote, de la plénitude des droits politiques, qu'il y ait deux catégories de citoyens n'est pas honteux et apparaît comme normal et légitime. Si cette discrimination est à la fois sélective et exclusive, elle n'est pas pour autant définitive ou absolue : elle n'exclut pas, à vie, tel ou tel individu. Il suffit de remplir les conditions imposées — atteindre les 300 F de cens — pour devenir *ipso facto* électeur. Le principe est tout différent de celui de l'Ancien Régime qui attribuait le privilège à la naissance.

Ainsi — et les deux traits sont complémentaires —, les sociétés libérales sont certes restrictives — c'est ce qui les différencie des sociétés démocratiques — mais l'exclusion du suffrage n'est pas définitive. Ainsi s'explique le mot — qui fait aujourd'hui scandale — de Guizot : « Enrichissez-vous! » A ceux qui lui objectaient qu'une minorité seulement de

Français participait à la vie politique et réclamaient immédiatement l'universalité du suffrage, Guizot répondait qu'il existe un moyen, pour tout un chacun, de devenir électeur : remplir les conditions de fortune, s'enrichir. Ce n'est pas une fin de non-recevoir, mais un ajournement. On s'imaginait alors qu'il suffisait de travailler régulièrement et d'épargner pour s'enrichir et accéder ainsi au vote. Il apparaissait donc légitime de réserver l'exercice du droit de vote à ceux qui avaient travaillé et épargné, plutôt que de l'accorder à n'importe qui. La politique libérale s'inscrit ainsi dans la perspective d'une morale bourgeoise, précapitaliste, ignorante de la concentration et de la difficulté pour un individu de sortir de sa classe et de réaliser sa promotion sociale.

Constitution écrite, monarchie limitée, représentation nationale, bicaméralisme, discrimination, pays légal, pays réel, suffrage censitaire. Ajoutons, pour achever de caractériser le système politique, la décentralisation qui associe à la gestion des affaires locales des représentants élus de la population.

L'intérêt des libéraux pour ce système répond à une double préoccupation qui illustre l'ambiguïté du libéralisme. Confier l'administration locale à des représentants élus, c'est manifester sa défiance à l'égard du pouvoir central et de ses agents d'exécution dont on réduit le champ d'activité, mais c'est aussi une précaution contre les poussées populaires puisque l'on remet le pouvoir local aux notables. La revendication de la décentralisation a donc la signification d'une réaction sociale — c'est le libéralisme aristocratique — à la fois contre la centralisation étatique et contre la démocratie pratique.

On trouverait de nombreux exemples de cette organisation des pouvoirs : dans la monarchie constitutionnelle française, le régime britannique, au Piémont à partir de

1848, aux Pays-Bas, en Belgique et dans les royaumes scandinaves, à partir de 1860, dans l'Italie unifiée dont les institutions sont inspirées du libéralisme et où il faudra attendre 1912 pour qu'une loi inscrive pour la première fois le principe du suffrage universel.

A côté de cette organisation des pouvoirs, le libéralisme revendique et instaure les principales libertés publiques qui garantissent l'individu contre l'autorité.

C'est d'abord la reconnaissance de la liberté d'opinion, c'est-à-dire la faculté pour chacun de se faire une opinion — et non de la recevoir toute faite —, mais aussi de la liberté d'expression, de la liberté de réunion, de la liberté de discussion qui découlent logiquement de la reconnaissance des opinions individuelles.

Des dispositions sont prises également en faveur de la liberté de la discussion parlementaire, de la publicité des débats parlementaires, de la liberté de la presse. Il est à cet égard significatif que pendant la Restauration et la monarchie de Juillet une bonne part des controverses politiques, des polémiques et des débats entre la majorité et la minorité, le gouvernement et les Chambres, tourne autour du statut de la presse, au même titre que le régime électoral.

Le souci de la liberté s'étend à l'enseignement. Les libéraux n'ont en effet rien de plus pressé que de soustraire l'enseignement à l'influence de l'Église, leur principal adversaire. De fait, le libéralisme est plus anticlérical qu'antireligieux et s'il peut être spiritualiste, s'accommoder de la reconnaissance du christianisme, il est nécessairement anticlérical, car il est relativiste, donc contre tout dogme imposé. Le catholicisme restauré, contre-révolutionnaire, du XIXᵉ siècle, apparaît comme le symbole de l'autorité, de la hiérarchie dogmatique et il importe de soustraire l'enseignement à son influence — surtout l'enseignement secondaire, auquel les libéraux s'intéressent tout particulièrement puisque c'est lui

qui forme les futurs électeurs. Il y a coïncidence, à peu de
chose près, entre ceux qui ont fait leurs humanités et obtenu
le baccalauréat, et ceux qui sont propriétaires, et font partie
du pays légal. Pour les libéraux désireux de fonder durablement la liberté, l'enseignement secondaire est donc une
pièce maîtresse de la société. Toutes les querelles qui, entre
1815 et 1850 (loi Falloux), tournent autour du monopole
ou de la liberté de l'Université, ont pour enjeu le contrôle
de l'enseignement secondaire. Les libéraux se garderont
donc d'accorder la liberté d'enseignement pleine et entière
à qui en userait contrairement aux principes d'une éducation libérale.

Plus généralement, le libéralisme tend à réduire, à retirer
aux Églises leurs privilèges et à instaurer l'égalité des droits
entre la religion traditionnelle et les autres confessions.
Dans les pays catholiques, on admettra aux fonctions
civiles des protestants, on retirera à l'Église la tenue de
l'état civil et l'on conférera au mariage civil une valeur légale
qu'il n'avait pas dans une société où les sacrements seuls
avaient valeur juridique. Dans les pays de confession protestante, le libéralisme imposera progressivement l'émancipation des catholiques : en 1829, en Angleterre, l'acte d'émancipation arrache les catholiques (surtout irlandais) à leur
sujétion et en fait des citoyens presque à égalité, car subsiste
encore, pour l'exercice de quelques fonctions publiques,
un privilège en faveur des fidèles de l'Église anglicane.

L'ordre social libéral.

En déchiffrant l'empreinte que le libéralisme laisse sur
la société, on reconnaît de nombreux traits déjà évoqués à
propos de l'œuvre de la Révolution puisque, sur ce terrain
plus encore que sur le précédent, le libéralisme est l'héritier
de son esprit.

La société libérale repose sur l'égalité de droit : tous disposent des mêmes droits civils. Pourtant, partie à son insu, partie délibérément, le libéralisme maintient une inégalité de fait et va prêter le flanc à la critique des démocrates ou des socialistes.

La reconnaissance de l'égalité de tous devant la loi, devant la justice, devant l'impôt n'exclut pas la différence des conditions sociales, la disparité des fortunes, une répartition très inégale de la culture. Il advient même que la société libérale consacre dans ses codes certaines inégalités; ainsi entre l'homme et la femme, entre l'employeur et l'employé.

L'ARGENT

Par-delà l'égalité de principe et l'inégalité de fait, la société libérale repose essentiellement sur l'argent et sur l'instruction qui sont les deux piliers de l'ordre libéral, les deux pivots de la société.

Ces deux principes, fortune et culture, produisent simultanément des conséquences qui peuvent se contrarier; c'est ce qu'il importe de bien comprendre si l'on veut connaître et apprécier équitablement la société libérale. Ceci reste vrai, aujourd'hui encore, pour les sociétés occidentales. L'argent comme l'instruction développent des effets dont les uns sont proprement libérateurs et dont les autres tendent à maintenir ou à renforcer l'oppression. Il n'y a pas lieu d'en être surpris : la réalité historique est toujours assez complexe pour qu'on puisse, ainsi, pour le même instant, relever des effets contraires.

L'argent est un principe libérateur. La substitution de l'argent à la possession du sol ou à la naissance comme principe de différenciation sociale, est incontestablement un élément d'émancipation. La terre assujettit l'individu, elle le fixe au sol. La mobilité de l'argent permet d'échapper aux contraintes de la naissance, de la tradition, au conformisme de ces petites communautés repliées sur elles-mêmes et strictement cloisonnées. Il suffit d'avoir de l'argent pour pouvoir se déplacer, changer de métier, de résidence, de région. La société libérale, fondée sur l'argent, ouvre des possibilités de mobilité : mobilité des biens qui changent de mains, mobilité des personnes dans l'espace, dans l'échelle sociale.

Au XIXe siècle, les sociétés libérales française, anglaise, belge, offrent quantité d'exemples d'individus qui ont rapidement gravi les échelons de la hiérarchie sociale, et fait d'éclatantes fortunes, dues uniquement à leur intelligence et à l'argent. Le cas d'un Laffitte, qui, de condition très modeste, devient un des financiers les plus riches de la France, jusqu'à faire partie du premier gouvernement de la monarchie de Juillet, n'est pas unique. L'argent est donc bien un facteur de libération, le principe et la condition de l'émancipation sociale des individus.

Mais la contrepartie est évidente car ces possibilités ne sont pas à la portée de tous, et l'argent est un principe d'oppression. Au départ, il faut avoir un minimum d'argent, ou beaucoup de chance. Pour ceux qui sont démunis, la domination exclusive de l'argent aboutit, au contraire, à aggraver leur situation. C'est peut-être dans le cadre de l'unité villageoise qu'on mesure le mieux les effets de cette révolution : dans l'économie rurale de l'Ancien Régime, tout un système de servitudes collectives permettait à celui qui n'avait pas de terres de subsister, puisqu'il avait la possibilité d'utiliser les terrains communaux, d'envoyer paître ses bêtes sur des terres qui ne lui appartenaient pas, mais que l'interdiction d'enclore laissait accessibles. Il y avait ainsi coexistence des riches et des pauvres.

La dislocation de cette communauté, l'abrogation de ces

contraintes, la proclamation de la liberté de cultiver, d'enclore font l'affaire de ceux qui ont du bien, qui vont pouvoir en tirer des revenus plus élevés. Ils entrent dans une économie d'échange, de profit, arrondissent leurs domaines, s'enrichissent, jettent les bases d'une fortune, tandis que les autres, privés du recours que leur ménageait l'utilisation des terrains communaux, privés par là même de la possibilité de subsister, sont obligés de quitter le village, d'aller chercher du travail en ville. Pour eux, c'est le déclassement et souvent la misère. On voit avec cet exemple comment la même révolution a développé simultanément des effets contraires selon qu'ils s'exercent sur les riches ou sur les pauvres, sur ceux qui ont un peu ou sur ceux qui n'ont rien.

Toute une population indigente a brusquement perdu la protection que lui assurait le réseau des liens personnels et vit désormais dans une société anonyme où les relations sont juridiques, impersonnelles et matérialisées par l'argent. Achat, vente, rémunération, salaire : hors de là, point de salut.

Ainsi, une partie de l'opinion conservera la nostalgie de l'ancienne société, hiérarchisée certes, mais faite de liens personnels où les inférieurs trouvaient de larges compensations à leur dépendance. Les légitimistes, le catholicisme social, une partie du socialisme même regrettent l'ancien ordre de choses et veulent que soit restaurée cette société paternaliste où la protection du supérieur garantissait à l'inférieur qu'il ne mourrait pas de faim, alors que dans la société libérale, il n'y a plus de secours ni de recours contre la misère et le déclassement.

Certes, cette nouvelle société n'est pas le produit exclusif de la révolution politique; elle est tout autant la conséquence d'une mutation de l'économie et de la société et ce nouveau système de rapports correspond à une société urbanisée et industrielle où le négoce et la manufacture deviennent désormais les activités privilégiées.

De l'instruction, cet autre fondement de la société libérale, on peut dire également qu'elle est un facteur de libération mais aussi que sa privation rejette une partie de la population dans une condition définitivement dépendante.

Dans l'échelle des valeurs libérales, l'instruction et l'intelligence tiennent une place tout aussi grande que l'argent — auquel certains historiens de l'âge libéral attribuent une importance trop exclusive —, et les exemples ne sont pas rares d'individus qui ont eu une éclatante réussite sociale, qui sont même arrivés au faîte du pouvoir sans avoir, au départ, un sou vaillant mais qui ont fait preuve d'habileté et d'intelligence. A côté de Laffitte, on pourrait évoquer la carrière de Thiers, de condition également très modeste, qui doit sa réussite à l'intelligence et au travail. Journaliste, il arrive à être président du Conseil, devenant dans la seconde moitié du siècle, le symbole de la bourgeoisie libérale. L'instruction ouvre toutes les carrières, enseignement, journalisme, politique.

Les études classiques sont sanctionnées par des diplômes dont le plus fameux, le baccalauréat, est une institution essentielle de la société libérale. Créé en 1807, donc contemporain de l'Université napoléonienne, solidaire de l'organisation des grandes écoles, il appartient à tout le système issu de la Révolution, repensé par Napoléon, d'une instruction canalisée, disciplinée, organisée, sanctionnée par des diplômes, ouvrant l'accès à des écoles recrutant par concours. Au XIXe siècle et aujourd'hui encore, le prestige du baccalauréat, comme celui des grandes écoles, est le symbole d'un état d'esprit et d'une attitude caractéristiques des sociétés libérales. Il est possible à tout un chacun de faire des études, de se présenter au baccalauréat, de tenter sa chance aux concours d'entrée à Polytechnique ou à Normale. Mais on devine la contrepartie de ce prestige de la culture : cette société ouvre des possibilités de promotion, mais seulement à un petit nombre, et à ceux qui ne présentent pas les sacrements universitaires sont réservées les fonctions subalternes dans la société. Comme l'argent, l'instruction est à la fois émancipatrice et exclusive. C'est ce que, dans un petit traité très substantiel, a exprimé le sociologue Goblot sous le titre *la Barrière et le Niveau*. L'enseignement, le baccalauréat, les diplômes constituent à la fois une barrière et un niveau.

Par le biais de l'argent et de l'instruction, nous voyons quels sont les traits constitutifs et spécifiques des sociétés libérales. Ce sont des sociétés en mouvement, et c'est leur grande différence avec l'Ancien Régime vieillissant qui tendait à se scléroser, où les ordres se figeaient en castes. Le passage de l'Ancien Régime au libéralisme est un dégel, une ouverture soudaine, une plus grande fluidité donnée à la société, une plus grande mobilité proposée aux individus. Mais cette société ouverte est aussi une société inégale. C'est de la juxtaposition de ces deux caractères que se dégage la nature intrinsèque de la société libérale que la démocratie va précisément remettre en cause. Celle-ci s'attachera à élargir la brèche, à ouvrir à tous les possibilités et les chances que les sociétés libérales ne faisaient qu'entrouvrir à une minorité.

3

L'ère de la démocratie

A son tour, le mouvement démocratique va bouleverser les institutions politiques et l'ordre social des sociétés libérales.

Comme pour le libéralisme, nous définirons d'abord l'idée, puis la société démocratiques, nous retracerons les péripéties du mouvement démocratique et, dans un dernier temps, nous analyserons les résultats et les caractéristiques des sociétés issues de ce mouvement qui se définit, à l'origine, comme une force de transformation révolutionnaire.

1. L'idée démocratique

Il s'agit non pas de définir la démocratie en elle-même, comme une essence intemporelle, indépendante des lieux et des temps, mais dans le contexte de la première moitié du XIXᵉ siècle, où elle se définit par opposition à l'Ancien Régime, et plus encore par négation ou dépassement du libéralisme. Cette définition historique peut valoir pour d'autres temps, car elle constitue un noyau commun autour duquel évolue une frange, l'expérience révélant progressivement des aspects insoupçonnés, des prolongements inattendus de l'idée démocratique.

Pour définir la démocratie au XIXᵉ siècle, il convient de

conjuguer les deux approches utilisées pour le libéralisme : l'approche idéologique et l'approche sociologique ou, si l'on préfère, les principes et les assises sociales, les forces sur lesquelles l'idée démocratique prend appui.

L'idée démocratique entretient avec le libéralisme des relations complexes. C'est ainsi qu'elle reprend tout l'héritage des libertés publiques que le libéralisme avait été le premier à inscrire dans les textes. Loin de revenir sur ces acquisitions, elle les affirme et va même leur donner une portée plus étendue encore. Ainsi, la démocratie prolonge l'idée libérale. C'est pourquoi nous sommes souvent tentés aujourd'hui de ne voir en la démocratie que le simple développement de l'idée libérale, alors qu'au XIXe siècle elle apparaît surtout en rupture avec l'ordre et la société du libéralisme; en 1840 ou en 1860, les démocrates, en effet, contestent et même combattent cet ordre.

L'égalité.

Ce qui caractérise en premier lieu la démocratie par rapport au libéralisme, c'est l'universalité ou, si l'on préfère, l'égalité. En effet, l'idée démocratique refuse les distinctions, les discriminations, toutes les restrictions, même temporaires. Alors que les libéraux tiennent le langage du possible, invoquant l'expérience, les réalités, l'impossibilité d'appliquer immédiatement les principes, les démocrates leur opposent les principes et militent pour leur application immédiate. Ainsi la démocratie revendique l'abolition du cens, le droit de vote pour tous, tout de suite, sans délais ni étapes, parce qu'elle juge que tout le monde est apte à exercer son droit de vote.

En 1848, les démocrates ne pressentent pas encore tous les développements de l'idée démocratique, mais un point leur apparaît indiscutable : il n'y a pas de démocratie sans suffrage universel. En un sens, on peut considérer que le critère le moins incontestable de la démocratisation, au XIXᵉ siècle, des sociétés politiques, c'est la chronologie des dates auxquelles les différents pays adoptèrent le suffrage universel.

Souveraineté populaire.

Universalité ou égalité mais aussi souveraineté populaire : les trois notions sont liées. Souveraineté populaire et non plus souveraineté nationale, la distinction étant capitale. En effet, quand les libéraux parlent de souveraineté nationale, ils entendent que la nation, comme entité collective, est bien souveraine, cette souveraineté n'étant exercée, dans la pratique, que par une minorité de citoyens. La souveraineté populaire implique que c'est le peuple le souverain, c'est-à-dire la totalité des individus, y compris les masses populaires. Le mot peuple est un des plus ambigus qui soient, car il peut à la fois se référer à un concept juridique et prendre une acception sociologique; dans la démocratie, les deux ne sont pas loin de se rejoindre. Le peuple, tel qu'en parlent Lamennais ou Michelet, tel que l'invoquent les révolutionnaires de 1848, c'est l'ensemble des citoyens et non pas seulement une abstraction juridique. Les deux conceptions différentes de la souveraineté entraînent deux conceptions différentes de l'électorat : avec la démocratie, c'est celle de l'électorat-droit qui prévaut.

On voit comment la démocratie s'inscrit d'une certaine façon dans le prolongement du libéralisme et comment elle en prend le contre-pied, renversant les barrières que le libéralisme avait édifiées.

Les libertés.

La démocratie, c'est aussi, mais avec des restrictions d'importance, les libertés.

Les démocrates reprennent à leur compte l'héritage intellectuel et institutionnel que leur lèguent les libéraux, mais avec un arrière-plan différent et dans un contexte qui en modifie profondément la signification. Avec les libéraux, l'exercice des libertés était reconnu à ceux qui en avaient déjà les capacités intellectuelles ou économiques; c'est pourquoi les libéraux ne voyaient pas de contradiction entre le principe de la liberté de la presse et la caution exigée des journaux, restant ainsi dans la logique même du système qui voulait que les libertés soient accordées à ceux qui étaient en mesure d'en user raisonnablement. Les démocrates effacent ces restrictions et revendiquent la liberté pour tous. C'est ainsi que pour eux la liberté de la presse exclut, par exemple, toute intervention préventive ou répressive du pouvoir, mais aussi toute contrainte financière. La grande loi de 1881 qui, aujourd'hui encore, régit en France le fonctionnement de la presse procède de la conception démocratique.

Les démocrates ont bien conscience que les inégalités sociales opposent des obstacles sérieux au fonctionnement réel de la démocratie. Aussi le plus sûr moyen pour eux de préparer l'avènement de la démocratie et de la faire entrer dans les mœurs, est de réduire les inégalités, de combler les disparités, d'étendre le bénéfice de la liberté à tous sans aucune espèce d'exception.

Les conditions d'exercice des libertés.

La liberté pour tous, mais aussi les moyens d'exercer cette liberté. C'est ce dont se préoccupent les démocrates, alertés par l'expérience, qui savent bien qu'il ne suffit pas qu'un principe soit inscrit dans la loi mais qu'il faut encore veiller à son application, alors que les libéraux, sensibles surtout à l'aspect juridique, pensaient volontiers avoir résolu les problèmes quand ils avaient posé une règle de droit.

C'est sur ce point que la pensée démocratique va s'engager dans des développements imprévus, qui pourront la conduire à de véritables retournements. En effet, s'il faut assurer aux individus les conditions d'exercice des libertés, la logique peut conduire la puissance publique à intervenir dans les relations interindividuelles, afin de corriger les inégalités, retirant à l'un ce qu'il a en trop pour le donner à celui qui n'a pas assez et assurer ainsi la jouissance effective des droits ; il pourra donc advenir que les démocrates soient parfois amenés à choisir entre deux conceptions de la démocratie, l'une restant attachée par-dessus tout aux principes de la liberté, et l'autre donnant le pas aux conditions pratiques sur les principes. C'est là l'origine de la divergence entre les deux conceptions de la démocratie, qui se disputent aujourd'hui la domination du monde.

L'égalité sociale.

Suivant une évolution parfaitement conforme à ses idées, la démocratie ne s'en tient pas à l'égalité juridique et civile, mais s'intéresse aussi à l'égalité sociale dont les applications et les conséquences ne se révéleront que peu à peu.

C'est sur ce terrain, dans cette direction, que se dessinent les prolongements les plus actuels de l'idée démocratique. L'attestent notre vocabulaire politique et ces expressions récemment introduites dans notre langage politique, telles que démocratisation de l'enseignement, planification démocratique, politique démocratique des revenus.

Se développant simultanément sur plusieurs lignes, l'idée

démocratique est complexe. Qu'entre ces lignes, des divergences, voire même des antagonismes, soient possibles, c'est l'histoire même de l'idée démocratique.

2. Démocratie et forces sociales

Si le lien déjà étroit qui unissait l'idéologie à la société libérale rendait nécessaire une approche sociologique, cette approche se justifie davantage encore quand il s'agit de la démocratie puisque par définition celle-ci ne saurait se limiter aux seules réformes politiques, et aussi parce que si l'idée de démocratie enregistre des succès, si elle recrute des adhérents, elle le doit aux transformations de la société.

Les facteurs de changement
et les nouveaux types sociaux.

De nouvelles couches sociales apparaissent, ce phénomène étant la résultante de trois ordres de changements.

RÉVOLUTION TECHNIQUE

Les transformations les plus visibles, peut-être aussi les plus décisives qui affectent le XIXᵉ siècle, ses structures et ses rythmes relèvent de l'économie et tiennent à la révolution industrielle, la floraison d'inventions qui accroissent soudainement le pouvoir de l'homme sur la matière, le machinisme et son application à la production. Cette révolution technique suscite de nouvelles formes d'activité professionnelle, modifie les conditions de travail et engendre, par un enchaînement de causes et de conséquences, des types sociaux nouveaux.

Un patronat différent du négociant-entrepreneur ou du manufacturier du XVIIIᵉ siècle surgit; plus étroitement lié au crédit et à la banque, il est l'une des composantes de la nouvelle société capitaliste qui se développe en usant des facilités que lui offre le libéralisme triomphant. Mais si ce patronat est important par le pouvoir économique qu'il détient, par les responsabilités qu'il exerce, il ne compte guère au plan des forces politiques, surtout depuis l'instauration du suffrage universel.

Beaucoup plus importante numériquement est la catégorie des ouvriers d'industrie qui constituent une classe relativement nouvelle, distincte des ouvriers de l'Ancien Régime. Sous l'Ancien Régime, ce que nous appelons ouvrier était proche de l'artisanat : le compagnon qui travaillait avec son patron était un employé, et non un prolétaire, tandis que la révolution industrielle, la concentration, le machinisme suscitent la formation d'une classe qui annonce déjà le prolétariat contemporain. Cette classe se compose essentiellement de gens venus de la campagne où ils ne trouvaient pas de travail et qui se fixent dans les villes. Leur venue est un des facteurs de la croissance des agglomérations urbaines au XIXᵉ et au XXᵉ siècles. Nous reviendrons plus loin sur ce phénomène de la ville dans la société moderne et sur ses conséquences tant sociales que politiques.

L'opposition entre ville et campagne s'accentue avec la société industrielle. Dans l'économie d'Ancien Régime, les liens restaient étroits entre ville et campagne qui vivaient en osmose. Les villes étaient petites, la campagne les environnait et les rapports étaient multiples. A mesure que la ville grandit, que se renforce la coïncidence entre les activités de type industriel et l'agglomération urbaine, les deux se différencient. L'évolution fait diverger leurs destins, leurs intérêts aussi, et au plan des forces politiques, leurs options, leurs sympathies.

La société rurale demeure traditionnelle, respecte l'ordre établi : la soumission aux coutumes, aux autorités, y est cultivée comme une vertu. Elle est, au moins temporairement, conservatrice, et ce ne sera pas l'une des moindres surprises du suffrage universel que de voir se renforcer dans un premier temps l'autorité des notables, le suffrage universel donnant brusquement le droit de vote à une masse rurale qui est encore la majorité numérique et qui vote en faveur des autorités, sociales ou spirituelles. C'est la leçon des élections françaises de 1848 et de 1849, renouvelée vingt ans plus tard, en 1871 : le pays envoie siéger à l'Assemblée nationale une forte majorité de notables conservateurs, légitimistes ou orléanistes. Les paysans qui sont le nombre ne sont pas encore complètement émancipés du conformisme, du respect des valeurs traditionnelles et de la hiérarchie sociale. Ce n'est donc pas du côté de la paysannerie que l'idée démocratique va recruter ses défenseurs.

Ce n'est pas non plus, au moins dans la première génération, du côté de la classe ouvrière. En effet, cette classe ouvrière qui se forme — en Angleterre dès la fin du XVIIIe siècle, en France à partir de 1830, plus tard en Italie du Nord, dans la Ruhr, en Catalogne — reste longtemps passive. Passive ou révoltée, et non intégrée dans la société. Passive le plus souvent parce qu'elle est héritière d'une longue tradition paysanne de résignation, ou révoltée et rejetant tout à la fois le régime politique, l'ordre social et ses croyances. Les élites de cette classe nouvelle adhéreront à des doctrines révolutionnaires qui ne croient pas en la démocratie politique. C'est à l'anarchisme, à l'anarcho-syndicalisme que vont d'abord la sympathie et la confiance des militants ouvriers, et en France le syndicalisme restera longtemps imprégné de l'idéologie anarcho-syndicaliste, au moins jusqu'à la Première Guerre mondiale.

Dans ces conditions, quelles peuvent être les assises sociologiques de la démocratie? L'équivalent de ce que nous avons recensé pour le libéralisme, avec la bourgeoisie d'argent et de talent, la démocratie le trouve dans d'autres groupes, eux aussi issus de l'évolution économique. En effet, les transformations sociales qui résultent des changements techniques ou économiques au XIXᵉ siècle ne se réduisent pas à la formation d'un patronat capitaliste et d'une classe ouvrière. Il y a entre eux toutes sortes d'éléments sociaux que l'analyse sociale oublie souvent, mais qui ne sont pas moins importants par le nombre et le rôle politique. C'est ce qu'au XIXᵉ siècle on appela « la classe moyenne » (au XXᵉ siècle, le pluriel l'a emporté et on dit plutôt les classes moyennes). L'expression caractérise bien leur situation intermédiaire entre les classes traditionnellement dirigeantes — la noblesse, la bourgeoisie — et, à l'autre extrémité de l'échelle sociale, les masses populaires, rurales ou urbaines.

La formation de ces classes moyennes résulte d'un certain nombre de faits, techniques ou économiques. A côté de la concentration proprement industrielle d'une main-d'œuvre autour des lieux de travail (mines ou usines), la révolution économique revêt d'autres formes. Ainsi la révolution des transports, avec l'apparition des chemins de fer, l'établissement dans tous les pays d'Europe de réseaux diversifiés couvrant l'ensemble du territoire qui crée un nouveau type professionnel, le cheminot. Pour la France seule c'est autour d'un demi-million qu'il faut évaluer le chiffre des travailleurs employés par les compagnies de chemin de fer. Les cheminots sont généralement assurés de la stabilité de l'emploi, et le métier qu'ils exercent, la sécurité, la possibilité d'une promotion professionnelle les différencient des prolétaires. Plus tard — ici nous sortons du XIXᵉ siècle —, le développement de l'automobile et la remise en service du réseau routier, la multiplication de tous les métiers liés à l'industrie automobile et à l'entretien des véhicules (mécaniciens, garagistes, stations-service) auront les mêmes conséquences.

C'est aussi du milieu du XIXᵉ siècle que date la découverte des possibilités que le crédit ouvre à l'économie moderne. C'est alors que se créent en France les grands établissements bancaires, Crédit lyonnais, Société générale, qui datent tous du second Empire. Jusque-là on ne connaissait, en fait de banque, qu'une banque familiale, employant peu de monde. Le développement de ces institutions multipliant les succursales crée des emplois en très grand nombre. Il en est de même dans le commerce, avec l'apparition des grands magasins.

La révolution économique ne limite donc pas ses effets à la production des biens, elle suscite parallèlement d'autres activités, génératrices à leur tour de changements dans la composition de la société. C'est par millions qu'il faudra bientôt dénombrer ceux qui exercent ces nouveaux emplois.

DÉVELOPPEMENT DU SECTEUR TERTIAIRE

Le développement de l'administration, ce que plus généralement le jargon de la sociologie du travail appelle le secteur tertiaire, constitue le deuxième facteur de changement dont employés de banque ou de grands magasins relevaient déjà.

Au début du XIXᵉ siècle, les ministères n'employaient qu'un nombre encore très réduit de fonctionnaires. De génération en génération et de régime en régime, la fonction publique se développe, tant dans les administrations centrales que dans les services départementaux. Ainsi l'État prend en charge de nouveaux secteurs dont les postes et l'enseignement; le développement de ce dernier, primaire d'abord, secondaire ensuite, multiplie les établissements et les enseignants.

Postiers, instituteurs, cheminots, employés de banque

et de grands magasins constituent toute une petite bourgeoisie, intermédiaire entre les couches populaires, dont elle est directement issue, et la bourgeoisie plus ancienne qui avait trouvé dans le régime libéral le régime de ses vœux et de ses espérances.

DÉVELOPPEMENT DE L'ENSEIGNEMENT

La diffusion de l'instruction concourt à façonner cette classe moyenne. Au XIXᵉ siècle, l'enseignement secondaire restant l'apanage de la bourgeoisie supérieure, cette bourgeoisie élémentaire ou moyenne a fait ses études dans des cours complémentaires, des écoles primaires supérieures, dont l'enseignement très différent des humanités classiques prolonge l'enseignement primaire. Le baccalauréat demeure la barrière, la ligne de démarcation entre la bourgeoisie traditionnelle et ces classes moyennes. A la diffusion de l'instruction, on peut ajouter le développement du journalisme, des moyens d'information.

Ainsi, nous retrouvons, transposée à la démocratie, la distinction énoncée pour la société libérale entre la fortune liée à l'activité économique et les connaissances, l'instruction, la culture, l'une et l'autre procédant d'une diffusion accrue de l'argent et de l'instruction. La conjonction de facteurs intellectuels et de facteurs économiques est à l'origine du développement de ces couches qui vont fournir l'infanterie de la démocratie pour reprendre le vocabulaire militaire familier aux défenseurs de la République dans la France des années 1880. Elle sera renforcée peu à peu par la paysannerie qui, grâce à l'école primaire et au journal, échappe progressivement à la tutelle du châtelain ou du prêtre, et en qui la démocratie trouvera ses appuis les plus solides et les plus fidèles.

Les diverses sociétés juxtaposées.

Ces modifications n'entraînent pas la disparition des types sociaux plus anciens, elles en créent de nouveaux qui viennent s'ajouter aux précédents. De ce fait, la société moderne de la fin du XIXe siècle est encore plus diversifiée que celle de la fin du XVIIIe siècle. C'est là un trait général de nos sociétés : tous les changements se font dans le sens d'une différenciation croissante et non pas d'une polarisation autour de deux ou trois groupes.

L'apparition de cette société nouvelle, dont les traits constitutifs sont la ville, l'industrie, le salariat, s'opère lentement, à des rythmes inégaux selon que les pays sont à l'ouest, au centre ou à l'extrémité orientale de l'Europe, conformément au schéma qui nous est déjà familier. C'est autour des années 1840-1860 que la France change de physionomie. Le changement se produit beaucoup plus tard en d'autres pays, tels que l'Italie ou les États des Habsbourg car, même dans les pays les plus avancés, ces transformations s'effectuent dans le cadre d'une société plus ancienne qui continue de se conformer aux normes héritées de l'Ancien Régime ou de la Révolution en raison de la persistance des idées, de la résistance des institutions et de la survivance des mentalités. Ainsi coexistent les vestiges de l'ordre ancien et les innovations qui résultent des changements de l'économie et de la société.

Dans la seconde moitié du XIXe siècle, la situation en Europe occidentale et centrale se caractérise donc, pour la démocratie, par la coexistence, plus ou moins paisible et harmonieuse, de plusieurs sociétés. Si nous traçons une coupe dans la société française des années 1860-1880 ou dans celle de l'Allemagne rhénane ou de l'Italie septentrionale, nous découvrons plusieurs sociétés juxtaposées que différencient leurs activités professionnelles, l'origine de leurs revenus, plus encore, leurs croyances et le code de leurs valeurs sociales.

PERSISTANCE DE L'ARISTOCRATIE TRADITIONNELLE

La Révolution n'a nulle part réussi à déraciner complètement la société aristocratique des grands propriétaires résidant sur leurs terres ou les faisant administrer par des régisseurs, des intendants. Cette classe sociale a pour elle la naissance, l'éclat des titres, le prestige des noms. Elle garde en de nombreuses régions, dans l'Ouest de la France et dans l'Allemagne de l'Est, un ascendant incontestable sur les paysans. Elle contrôle toutes sortes d'institutions sociales, détient la plupart des grands commandements militaires, accapare les ambassades. Maîtresse de la société mondaine, elle a le monopole des clubs. Les ducs la représentent à l'Académie et à l'Institut. Elle a partie liée avec les Églises. C'est, en Grande-Bretagne, l'*establishment*, qui se recrute dans les *public schools*.

Souvent même, elle continue de désigner les détenteurs du pouvoir politique, sous l'apparence de la démocratie. En Angleterre — où sans doute cette société aristocratique est le mieux préservée —, il n'est que de passer en revue la liste des Premiers ministres au XIXᵉ siècle et au début du XXᵉ; les Salisbury, les Rosebery, les Churchill sont autant de grandes familles dont chacune peut se flatter de remonter au XVIᵉ ou au XVIIᵉ siècle. Les conditions dans lesquelles a été désigné, en 1963, le successeur de M. MacMillan, Sir Alec, ont montré que, même après la révolution travailliste, l'*establishment* avait encore la possibilité d'imposer à la reine le choix d'un Premier ministre.

Ainsi, cette société aristocratique demeure puissante, derrière une façade démocratique. Elle s'accommode du suffrage universel et trouve le moyen de lui faire ratifier ses préférences et ses propres choix. Dans le cas inverse, quand le pouvoir a été conquis de haute lutte par les démocrates — comme en France où les républicains arrivent au pouvoir en 1879 et rejettent dans l'opposition les descendants de cette société —, elle est encore assez puissante pour les isoler, les investir, les circonvenir de toutes parts. C'est le drame de la IIIe République, entre 1879 et la Première Guerre mondiale, que cette dissociation entre un pays politique conquis par les républicains qui s'emploient à instaurer une effective démocratie, et un ordre social qui continue d'être dirigé par la société antérieure à la République.

Plus à l'est, en Allemagne, bismarckienne ou wilhelmienne par exemple, la domination de cette société est encore plus incontestable. Le cas même de Bismarck qui appartient précisément à ces grandes familles est significatif. Dans l'Allemagne unifiée du deuxième Reich, l'aristocratie traditionnelle est proche du pouvoir, les junkers possèdent la terre, contrôlent le Grand État-major comme en témoignent les noms des commandants de corps d'armée lors de la bataille de la Marne. Le fait est encore plus flagrant en Autriche-Hongrie, où se sont le mieux préservées les traditions aristocratiques de l'Ancien Régime, et même en Italie, où des forces démocratiques se dessinent et où le nouveau régime se veut libéral, l'aristocratie demeure puissante.

Ainsi, à la veille du premier conflit mondial, l'Europe, qui va se déchirer, est encore largement aristocratique. La noblesse y tient une place sans commune mesure avec son importance numérique. Il ne faut pas perdre de vue la présence active et le poids de cette société quand on évoque les forces politiques du XIXe siècle; si l'on ne prenait en considération que la dénomination des régimes, les appellations des partis politiques et les résultats des consultations électorales, toute une dimension de la réalité nous échapperait, qui pèse lourd dans la balance des forces et sur l'application des principes démocratiques.

LA SOCIÉTÉ BOURGEOISE

A côté ou au-dessous de cette société aristocratique se trouve la société bourgeoise, qui a accédé au pouvoir avec le libéralisme. Elle doit sa réussite à son travail acharné, à l'argent qu'elle a su épargner et à son instruction. Sous la pression des forces populaires, devant la menace que la démocratie représente pour ses prérogatives, elle tend à se rapprocher de l'aristocratie, et peu à peu se comble le fossé qui, à la fin du XVIIIe siècle, opposait l'aristocratie de naissance à la bourgeoisie révolutionnaire. Des alliances de familles, des solidarités d'intérêts, dans les conseils d'administration, à la tête des entreprises, rapprochent deux sociétés à l'origine très différentes. Elles s'unissent contre le danger commun, que représentent la démocratie et les classes populaires.

LES COUCHES POPULAIRES

Une troisième société se dessine, composée du petit peuple, de la bourgeoisie des classes moyennes, des ouvriers et des paysans; société peu homogène, dont les intérêts divergent souvent — il s'en faut que les aspirations de la petite bourgeoisie et des ouvriers soient identiques —, mais qui représente un même danger pour l'aristocratie et la bourgeoisie.

Les classes populaires inspirent aux classes dirigeantes, au XIXe siècle, une terreur dont nous n'avons plus idée. L'ouvrage de Louis Chevalier, *Classes laborieuses et Classes dangereuses*, en témoigne, qui associe les deux termes comme synonymes.

Ces classes laborieuses représentent le nombre. Elles n'ont ni culture politique ni instruction, leurs revendica-

tions sont souvent anarchiques, leurs manifestations convul-
sives. Il y a, dans la société du XIXe siècle, toutes sortes d'éléments instables, qui sont facteurs de désordre. Ce sont,
tout d'abord, hérités de la société de l'Ancien Régime, les
errants, vagabonds, cheminots, en bref le quatrième état,
qui n'a pas de travail, ne s'est pas intégré à la société.
Par ailleurs, la poussée démographique, l'exode rural,
l'extension du paupérisme accumulent dans les faubourgs une
multitude qui inspire aux pouvoirs publics, et aux classes
dirigeantes, un sentiment de crainte que viennent justifier les
journées de Juin, la Commune et les autres insurrections
populaires. Le XIXe siècle est très largement dominé par la
vision d'une société en péril. La violence est la forme ordinaire des rapports entre les classes sociales.

Société aristocratique et société bourgeoise retarderont
l'établissement de la démocratie.

3. Les étapes de la marche des sociétés vers la démocratie politique et sociale : les institutions et la vie politique

La marche de la démocratie s'ordonne sur plusieurs lignes
qui correspondent aux différents éléments de la définition de
l'idée démocratique.

LES RÉGIMES POLITIQUES

Quels changements la démocratie apporte-t-elle aux institutions et aux formes de la vie politique?

La démocratie n'est pas un commencement : ce n'est pas elle qui a renversé l'Ancien Régime. Les contacts directs sont rares entre l'Ancien Régime finissant et la démocratie commençante : entre les deux s'interpose ordinairement l'âge libéral qui jette un trait d'union, opère une transition entre les deux sociétés. La démocratie n'a donc pas eu ordinairement à s'opposer directement à l'Ancien Régime ou à le combattre de front (sauf en Europe orientale). C'est le libéralisme qui est son adversaire habituel, mais elle en recueille aussi l'héritage, avec les institutions établies par la société libérale, tels les régimes constitutionnels avec leurs institutions représentatives, les Chambres élues et les libertés publiques garantissant l'initiative individuelle, institutions dont la démocratie ne s'accommode point telles quelles. Dénonçant leur caractère restrictif, elle revendique l'universalité. Son action va donc s'exercer à partir de ces institutions représentatives, électives, dans le sens de leur élargissement.

Ceci implique une double progression qui consiste, d'une part pour la procédure élective, à élargir le corps électoral pour le rendre universel et sa représentation plus authentique, d'autre part, à étendre les attributions des institutions représentatives, leur compétence et leur contrôle.

Les consultations électorales.

LE SUFFRAGE UNIVERSEL

L'établissement du suffrage universel s'est fait presque partout par étapes, plus ou moins nombreuses, plus ou moins espacées. Le suffrage universel avait été précédé d'une expérience, plus ou moins longue selon les pays, du suffrage restreint, que la Grande-Bretagne connaissait depuis des siècles, la France depuis un demi-siècle seulement.

La chronologie de la marche vers le suffrage universel

mentionne en premier lieu un pays qui n'est pas européen. En effet, c'est aux États-Unis que la première expérience en a été faite. La transition se situe dans les années 1820-1830. Chaque État avait sa constitution propre et tout ce qui est régime électoral relevait de la compétence des États et non du gouvernement fédéral. La plupart des États révisent alors leur constitution dans un sens démocratique et en effacent les restrictions qui limitaient la citoyenneté. Ils le font à l'imitation des nouveaux États qui se constituent dans l'Ouest et se sont d'emblée donné des constitutions démocratiques. Les États-Unis offrent le premier exemple d'une harmonie entre la société tout court et la société politique. C'est parce que les États de l'Ouest sont des démocraties sociales qu'ils se donnent des régimes politiquement démocratiques. C'est la leçon que les États-Unis dispensent, dès 1830, au reste du monde et dont nous verrons de multiples applications.

Cette démocratisation dans le cadre des États a des répercussions sur le gouvernement de l'Union, en vertu de la disposition qui veut que la désignation des pouvoirs fédéraux se fasse selon les modalités adoptées par les États. La première élection présidentielle qui a lieu selon les nouvelles conditions est celle du général Jackson en 1828. On peut retenir cette date comme le symbole de la démocratisation de la vie politique américaine. Depuis leur fondation en 1787 les États-Unis étaient une société libérale. Avec l'entrée de Jackson à la Maison-Blanche, ils deviennent une démocratie. C'est une manière de révolution sans violence, sans rupture, bien que, sur le moment, elle ait épouvanté les détenteurs traditionnels du pouvoir et qu'elle soit apparue comme une sorte de bouleversement social. Et de fait, elle marquait la fin de l'ère libérale et aristocratique. C'est aussi, géographiquement, le glissement du pouvoir, qui passe des grands propriétaires de la Virginie et des avocats libéraux du Massachusetts, qui, depuis les origines de l'Union, avaient présidé à ses destinées, à un homme de l'Ouest et un *self-made man*, Jackson.

Dans cette chronologie, la France vient en seconde position. C'est même le premier grand pays à l'expérimenter, car les États-Unis de 1828 ne comptent encore qu'une dizaine de millions d'habitants. Un des premiers actes du gouvernement provisoire en mars 1848 est, avec l'abolition de l'esclavage, l'adoption du suffrage universel. Décision capitale qui est un saut dans l'aventure extraordinaire, eu égard à la terreur que le peuple inspire à la bourgeoisie. Ainsi le sort du pays tombe aux mains de ce peuple illettré, sans culture politique, qui est le jouet de ses passions, et va être la proie des démagogues. Alors que la veille le corps électoral comptait quelque 250 000 citoyens, il passe sans transition à 9 500 000. Le changement est de 1 à 40. Quand le bond est d'une telle ampleur, le changement d'ordre de grandeur devient un changement de nature. C'est une des ruptures les plus brusques qu'ait connues notre histoire politique.

Cependant, le suffrage n'est encore qu'à demi universel puisque le droit de vote n'est donné qu'aux citoyens de sexe masculin. Les femmes resteront écartées un siècle encore. A plusieurs reprises des mouvements réclameront l'extension aux citoyennes du droit de vote, mais tous les projets se heurteront à la résistance des partis et surtout, sous la troisième République, du Sénat. Deux préjugés inspirent la résistance opiniâtre de la vieille garde sénatoriale à l'idée de faire accéder les femmes à la vie politique. Le premier est qu'on ne doit remettre le droit de vote qu'à celui qui est en mesure de l'exercer avec indépendance. C'est la raison pour laquelle on s'était demandé en 1848 si on pouvait laisser voter les domestiques, ceux-ci étant dans un état de dépendance à l'égard de leurs patrons. La même considération explique que dans la réforme électorale britannique de 1884-1885 continuent d'être exclus du corps électoral les enfants, même adultes, qui habitent sous le toit de leurs parents. Les femmes mariées ne sont pas pleinement maîtresses de leur personne. C'est, en somme, le prolongement de l'incapacité juridique de la femme, inscrite dans le Code, qui fait refuser aux citoyennes le droit de vote. A cette considération s'ajoute une arrière-pensée plus immédiatement politique : la crainte que l'Église, qui conserve sur les femmes une plus grande influence, ne les manœuvre pour menacer la liberté de la République. Il faudra attendre la Seconde Guerre mondiale et l'ordonnance prise au printemps de 1944 par le gouvernement provisoire à Alger pour faire des citoyennes des électrices. C'est aux élections municipales du printemps 1945 — les premières de la France libérée — que les femmes voteront pour la première fois, soit, à quelques années près, un siècle après l'établissement du suffrage universel masculin.

Dans les autres pays, l'évolution sera plus lente. Elle ménagera des transitions. C'est, une fois de plus, l'exemple britannique, avec une longue suite de réformes qui peu à peu élargissent la base du corps électoral, en quatre étapes successives, qui illustre le mieux le type d'évolution graduelle, ménage le contraste le plus prononcé avec le cas français. La réforme électorale de 1832 est, pour l'Angleterre, sa façon de participer à la vague révolutionnaire qui a entraîné en France la chute du roi et la révision de la Charte. Mais cette réforme va plus loin dans ses conséquences électorales que la révolution de 1830 puisqu'il y a, en 1832, plus d'électeurs anglais que d'électeurs français, cette remarque donnant matière à réflexion sur l'utilité des révolutions dont les changements sont finalement plus anodins que ceux d'un réformisme progressif. L'initiative de la deuxième réforme de 1867 revient au leader conservateur Disraeli. La troisième est à inscrire à l'actif des libéraux et de leur chef, Gladstone, en 1884 et 1885. Toutes ces réformes présentent deux caractères communs : elles élargissent la base du collège électoral en abaissant les conditions et opèrent une redistribution des sièges en fonction de la mobilité géographique, du développement des villes et de l'exode rural. La dernière réforme, qui met le point final à l'évolution en établissant le suffrage universel masculin et féminin, est une conséquence de la guerre de 1918. Après avoir demandé, par la conscription adoptée en 1916, à tous les citoyens le sacrifice de leur vie, il apparaît difficile de leur refuser le droit de participer à la décision politique. Nous saisissons, sur le cas britannique, une corrélation, qu'on retrouve à plusieurs reprises, entre les guerres et les progrès de la démocratie. Les guerres sont, avec les révolutions, la brèche par laquelle le changement fait irruption dans la société.

En Allemagne, le suffrage universel est contemporain de l'unité. C'est, en effet, à l'initiative de Bismarck que la constitution impériale de 1871 l'introduit pour toute l'Allemagne. Ainsi, le Reichstag — la Chambre basse du Parlement de l'Empire fédéral — sera élu au suffrage universel, décision à première vue surprenante, venant d'un aristocrate connu pour ses opinions antilibérales et antiparlementaires. Ce choix s'explique par des raisons d'ordre national. En effet, contre les forces centrifuges qui restent puissantes dans l'empire allemand, pour affaiblir les traditions particularistes héritées du passé, pour battre en brèche les dynasties, il convient de fonder l'unité nationale sur le soutien populaire. S'appuyant sur l'adhésion du peuple, l'empire sera plus fort que les États. On voit se dessiner une conjonction entre l'unité nationale et l'idée démocratique, qui n'est pas absolument nouvelle puisque la Révolution avait déjà profondément modifié l'idée nationale dans tous les pays qu'elle a touchés. Tout au long du XIXe siècle, unité et démocratie ont partie liée contre la décentralisation et les notables, aristocrates ou libéraux, puisque ceux-ci revendiquent la décentralisation, célèbrent le régionalisme, quand les démocrates militent pour l'unité et la centralisation administrative.

En 1847-1848, une guerre civile oppose en Suisse les cantons catholiques et conservateurs aux cantons radicaux et démocrates. Les cantons catholiques se battent pour le fédéralisme, les cantons radicaux combattent pour le renforcement des institutions unitaires. Aux États-Unis, la guerre civile qui oppose le Nord au Sud (1861-1865) oppose aussi la société démocratique du Nord, qui met le maintien de l'Union au-dessus des droits des États, à la société aristocratique du Sud qui revendique le droit de faire sécession. En Italie, Garibaldi est autant le symbole de la démocratie et de la République que de l'unité. Le lien très étroit entre unité nationale et idée démocratique explique que Bismarck, ce grand propriétaire, ait choisi de fonder l'unité allemande sur le suffrage universel. Le régime intérieur des différents États de l'empire n'est pas modifié pour autant. Jusqu'à la guerre coexisteront un des régimes les plus démocratiques par ses institutions d'empire, et des constitutions d'États qui réservent encore le droit de vote à des minorités. C'est finalement en 1919 qu'on accordera aux Allemandes le droit de vote.

En Italie, l'évolution a été différente. Si, à bien des égards, le cas de l'Italie et celui de l'Allemagne sont comparables — les deux pays morcelés au début du siècle aspirent à l'unité, et y parviennent à peu près simultanément —, leur évolution en ce qui concerne les institutions politiques est très dissemblable. Alors que Bismarck décide de fonder l'unité sur une base populaire, Cavour et ses successeurs associent l'unité italienne au libéralisme. L'Italie nouvelle vivra, jusqu'à la Première Guerre mondiale, dans le cadre du statut octroyé par Charles-Albert en 1848, inspiré de la philosophie libérale, sous un régime plus proche de celui de la France de 1830 que de celle d'après 1848. Il en serait allé autrement si l'unité s'était faite à l'initiative de Mazzini ou de Garibaldi qui personnifient la démocratie tandis que Cavour et le personnel dirigeant de la nouvelle Italie appartiennent à une classe d'inspiration libérale.

En 1861, l'année qui suit l'unification de l'Italie (exception faite de Rome et de Venise qui ne sont pas encore rattachées), le pays légal ne compte pas plus de 900 000 électeurs pour une population de 22 millions d'habitants, encore que, sur ces 900 000, un tiers à peine exercent leur droit de vote, les autres s'abstenant. Une des raisons qui expliquent un taux d'abstention aussi élevé est le dissentiment qui oppose l'Église à l'Italie nouvelle, les catholiques fidèles boycottant les élections dans les territoires qui faisaient naguère partie des États de l'Église. L'abstention, ou ce qu'on appelle le *non expedit*, sera, après la prise de Rome en 1870, érigée en règle de conduite par le Saint-Siège et les catholiques italiens se verront défendre de participer à la vie politique jusqu'en 1904 pour ne pas paraître ratifier la spoliation du chef de l'Église. Cependant, si le corps électoral ne comprend ordinairement que 900 000 personnes, l'ensemble du pays a été consulté, à titre exceptionnel, pour le plébiscite au terme duquel les Romagnes, l'Ombrie, les Marches, la péninsule italienne ont exprimé leur adhésion à l'Italie désormais unifiée.

Plusieurs réformes électorales seront adoptées dans la période suivante qui élargiront, mais avec beaucoup de prudence, le cadre de la vie politique. La première en 1882; une seconde, plus importante, en 1912 qui comporte à la fois des dispositions pour l'avenir et des stipulations dont l'application est immédiate. La loi de 1912 pose le principe du suffrage universel, mais à terme puisqu'elle prévoit des délais de vingt à trente ans. Ces dispositions d'ajournement seront annulées, par suite de la guerre, comme en Grande-Bretagne et comme en Allemagne et en 1919, l'Italie établit effectivement le suffrage universel. C'est en de nombreux pays, on le voit, que le premier conflit mondial a eu pour conséquence de réaliser le vœu des démocrates qui leur apparaissait jusqu'alors comme une promesse lointaine.

Entre 1848 et 1918, la plupart des autres pays de l'Europe septentrionale ou occidentale avaient, eux aussi, adopté des dispositions qui les acheminaient vers le suffrage universel. Aux Pays-Bas en 1887 et 1896. En Belgique la date importante est 1893. La Norvège adopte le suffrage universel en 1905 au moment où elle se sépare, à l'amiable, de la Suède. La Suède imite son exemple en 1909. C'est en 1906 que le suffrage universel fait son entrée, d'une façon encore discrète et réservée, dans la partie autrichienne de l'empire des Habsbourg.

Ainsi, à la veille de la première guerre le suffrage universel est entré dans les mœurs et la législation.

DÉMOCRATISATION DES SYSTÈMES ÉLECTORAUX

Après avoir évoqué les dispositions principales, il s'agit d'en étudier les modalités d'application qui ne sont pas moins importantes puisqu'elles sont de nature à modifier presque du tout au tout la signification de l'expérience. Souvent, la reconnaissance du principe a été assortie, au moins dans les premiers temps, d'un arsenal de précautions qui en restreignaient singulièrement la portée et le réduisaient parfois à un simple symbole. L'ingéniosité des gouvernements s'est montrée sans égale pour inventer des subterfuges qui neutralisent l'effet du nombre.

Quand la Belgique adopte le suffrage universel en 1893, elle institue le vote plural selon lequel un individu peut disposer, à certaines conditions, de plusieurs voix, deux ou trois, en fonction de son instruction, de ses charges de famille. Ainsi se rétablit une certaine inégalité qui a pour conséquence pratique, au plan des forces politiques, de majorer les voix des conservateurs au détriment des forces de progrès.

La Prusse recourt depuis 1850 au procédé du système des classes. Dans chaque circonscription ayant à désigner un représentant au Landtag de Prusse, les électeurs sont répartis en trois catégories, déterminées par le montant des impôts, chacune des classes payant la même somme, ce qui fait qu'un seul contribuable suffit quelquefois à constituer une classe, la dernière classe en comptant plusieurs milliers, alors que chacune des trois classes participe à égalité à la désignation du représentant.

Le cas de l'Autriche illustre un autre procédé dans un système électoral complexe. Le Reichstag se compose d'élus de collèges distincts selon le même système que nos États généraux et, au début du xxe siècle, l'Autriche sera encore fidèle au système de l'Ancien Régime qui ne considère pas les individus indépendamment de leur condition sociale, de leur métier ou de leur état. Ces catégories s'appellent des curies, et le Reichstag réunit les représentants des quatre curies, en proportions inégales. En 1906, la réforme se borne à adjoindre aux quatre curies existantes, qui gardent leurs élus, une curie dite du suffrage universel où on range tous ceux qui n'étaient pas électeurs. Ce n'est donc qu'un collège de plus qui n'a droit qu'à une centaine d'élus. Les représentants du suffrage universel entrent par la petite porte, sont associés modestement aux travaux.

Aux États-Unis où chaque État reste maître de sa législation électorale, le Sud tourne le principe de l'égalité de tous que le Nord veut lui imposer au lendemain de la guerre civile en établissant des dispositions qui visent à écarter les Noirs : fameuse clause dite du grand-père, ou obligation d'expliquer quelques articles de la constitution, les Blancs étant généralement dispensés de cette épreuve. Ces pratiques restrictives subsisteront dans plusieurs États du Sud jusqu'à l'adoption récente par le Congrès d'une loi sur les droits civiques.

Pareilles dispositions ne sont pas toutes dictées par des arrière-pensées politiques, certaines n'étant que l'héritage du passé. Ainsi, la Grande-Bretagne met quatre-vingts ans à réduire l'inégalité dans la distribution des circonscriptions, les campagnes étant surreprésentées au Parlement tandis que les agglomérations urbaines ne le sont pas en proportion de leur importance numérique et de leur participation à l'activité nationale. Il faudra longtemps pour aligner la répartition des sièges sur la distribution de la population et l'on n'y arrivera, du reste, jamais complètement. Aujourd'hui encore, il faut aux travaillistes plus de suffrages qu'aux conservateurs pour emporter la majorité des sièges, car leurs électeurs se recrutent plutôt dans les villes alors que les campagnes disposent d'un plus grand nombre de sièges.

C'est pour supprimer toutes les inégalités que se dessine, dans les premières années du XXe siècle, un mouvement d'opinion en faveur d'un nouveau mode de scrutin qui briserait le cadre étroit des circonscriptions en instituant la représentation proportionnelle. Le mouvement pour la RP — comme on dit — reproche aux autres modes de scrutin de ne pas dégager une représentation qui soit la fidèle expression du corps électoral et présente sa solution comme plus conforme à l'esprit démocratique. Aussi, au lendemain de la Première Guerre mondiale, plusieurs pays l'adoptent-ils. La constitution de Weimar de 1919 l'inscrit dans ses propres dispositions, et la même année, la France adopte une loi électorale qui s'en inspire partiellement.

LA LIBERTÉ DU VOTE

Pour être pleinement démocratique, le vote doit aussi être pleinement libre : il exige qu'aucune pression ne s'exerce sur les électeurs, que la consultation soit sincère, le dépouillement honnête. Autant d'exigences que les législations codifient peu à peu. L'électeur doit échapper au contrôle de l'administration, à la pression des notables, à la corruption. Une étude détaillée devrait recenser les dispositions prises pour la tenue et la publicité des listes électorales, pour le secret du vote, autre innovation essentielle. C'est ainsi qu'en 1872 l'Angleterre adopte ce qui s'appelle, dans le vocabulaire britannique, le *ballot* tandis que la France attendra 1914 pour utiliser l'enveloppe et l'isoloir. Ainsi, la liberté et l'égalité du vote deviennent-elles effectives, par étapes.

ÉLIGIBILITÉ

Si tout citoyen doit pouvoir exercer son droit de vote, la démocratie implique que tous puissent aussi se porter candidats, faute de quoi la distinction entre deux catégories de citoyens se trouve perpétuée. Aussi la plupart des pays abrogent-ils progressivement les clauses qui subordonnaient l'éligibilité à un niveau donné d'instruction, ou encore à la différence de sexe. L'une des revendications des suffragettes dont l'agitation souvent violente a troublé la Grande-Bretagne avant 1914 était que les électrices aussi puissent être candidates. Elles obtiennent gain de cause à la faveur de la guerre; en 1919, Lady Astor est la première femme à entrer à la Chambre des communes.

La France devra attendre la première Assemblée constituante élue en octobre 1945 où, pour la première fois, siégeront des Françaises en nombre du reste plus grand que dans les Assemblées suivantes. L'évolution depuis trente ans est allée vers une diminution progressive de la participation des femmes à la vie parlementaire.

Il ne suffit pas de supprimer des clauses juridiques d'inégalité, il faut encore assurer l'égalité réelle. Nous retrouvons cette idée très importante dans le mouvement démocratique, que les principes ne sont rien sans leurs conditions d'application. Pour que tous les candidats puissent tenter leur chance, à plus forte raison exercer un mandat législatif, il ne faut pas que la fortune continue d'établir entre eux des discriminations. Or, entre celui qui peut vivre de ses rentes, et celui qui a besoin de gagner sa vie, la compétition n'est pas égale. Le premier peut prendre le risque d'une campagne : s'il est élu, il pourra participer à la vie du Parlement; l'autre ne peut pas faire les frais d'une campagne, moins encore renoncer à l'exercice de son métier. C'est la raison de l'institution de l'indemnité parlementaire, autre critère de la démocratisation des institutions, presque aussi révélateur que l'universalité du suffrage. Quand un pays établit l'indemnité parlementaire, c'est le signe qu'il franchit une étape dans sa démocratisation. En France, c'est la seconde République qui établit l'indemnité parlementaire (après avoir proclamé le suffrage universel; les deux étant étroitement liés). Ce sont les fameux 25 F pour lesquels Baudin se fait tuer au lendemain du 2 décembre 1851. En Grande-Bretagne, l'institution est plus tardive, 1911, avec la grande réforme constitutionnelle qui modifie les rapports entre les deux Chambres.

Il convient de remarquer, au passage, que sur plus d'un point, l'adoption d'institutions démocratiques est plus tardive en Angleterre qu'en France. La Grande-Bretagne a été libérale plus tôt que la France, mais démocratique plus tard. De ce fait son évolution politique s'étale sur une période plus longue : entrée dans l'âge libéral dès le XVIIIᵉ siècle, elle n'achève de pénétrer dans l'ère démo-

cratique qu'au xxᵉ siècle. Pour la France, les deux étapes
sont concentrées sur une période plus courte puisque la
France fait son expérience libérale dans la première moitié
du xixᵉ siècle et pratique déjà la démocratie dans la seconde
moitié. Les deux rythmes sont nettement différents. Cette
remarque vient à l'appui de ce que nous disions du processus révolutionnaire et du processus par adaptation progressive.

L'établissement d'une indemnité parlementaire élargit
donc le recrutement du personnel politique : il est désormais
possible aux gens de condition modeste, aux salariés, de
faire acte de candidature et même de siéger au Parlement.
La professionnalisation de la vie politique, liée à l'établissement de l'indemnité parlementaire, est d'une importance
capitale pour la sociologie politique.

Si l'indemnité parlementaire assurait aux individus le
moyen matériel de jouer un rôle politique, l'apparition des
partis leur donne un appui, dont les notables pouvaient
faire l'économie, mais qui est indispensable aux élus d'origine
populaire et y rétablit ainsi l'équilibre. Les notables ont pour
eux la notoriété, la situation de famille, la fortune, le soutien des autorités administratives, des Églises établies,
tandis que leurs adversaires, sans le réseau de relations
sociales qu'assure la transmission héréditaire de la propriété,
doivent compenser par la solidarité que constitue le parti,
par un réseau de fidélités capable d'opposer organisation,
discipline, activité, propagande, aux avantages naturels des
notables.

La représentation parlementaire.

Le second niveau à considérer pour mesurer les conséquences de la démocratie, est le niveau des institutions
parlementaires, les élections ayant précisément pour objet

de choisir des parlementaires, de désigner ceux à qui le peuple remet l'exercice de la souveraineté.

Si la démocratie n'a inventé ni les institutions représentatives ni la procédure électorale — les unes et les autres existant déjà dans l'ère libérale —, elle les modifie.

La démocratie trouve généralement un Parlement composé de deux Chambres, la Chambre haute et la Chambre basse, de recrutement différent et d'inégal prestige. On continue d'appeler Chambre basse celle qui est élue au suffrage universel, ce qui est en contradiction avec les principes de la démocratie qui dénoncent la supériorité par tradition. Mais sous la poussée de l'esprit démocratique, les rapports entre les deux Chambres évoluent. Un premier mouvement tend à élargir le collège électoral de la Chambre haute lorsqu'elle est élective — les sièges pouvant autrement être soit transmis héréditairement dans certaines Chambres aristocratiques, soit conférés à titre personnel par le chef de l'État. En France, les républicains arrivés au pouvoir depuis quelques années, entreprennent la révision de la constitution de 1875 peu démocratique qui confie l'élection du Sénat à un collège trop restreint, les communes rurales disposant d'une prépondérance écrasante, avec presque, à peu de chose près, un représentant par commune, quelle que soit l'importance de la population. La révision de 1884 tend à une représentation plus proportionnelle de la population.

Aux États-Unis, les sénateurs étaient choisis selon des modalités qui variaient d'un État à l'autre, les États restant maîtres des conditions de désignation. Les plus démocratiques avaient donné l'exemple en faisant élire leurs deux sénateurs par l'ensemble des électeurs. En 1913, cette solution démocratique est étendue à toute l'Union par le 17e amendement à la constitution, marquant ainsi une étape de la démocratisation des États-Unis analogue à celle franchie vers 1830, quand les États, révisant leur constitution, adoptèrent le suffrage universel pour leur propre législature.

SUPPRESSION DES SIÈGES INAMOVIBLES

A l'intérieur des secondes Chambres, l'élargissement de la base électorale des Chambres hautes est assorti de mesures visant à réduire et même à supprimer les sièges inamovibles.

Ainsi, en France, la loi constitutionnelle de 1875 sur le Sénat prévoyait qu'il comporterait 300 membres, dont 225 élus et 75 inamovibles désignés par l'Assemblée nationale (et par la suite remplacés par cooptation, au fur et à mesure de leur disparition). La présence de ces 75 sénateurs qui ne tenaient pas leur mandat de l'élection apparaissant aux républicains comme une atteinte à la démocratie, un de leurs premiers soins en 1884 est de supprimer ces sièges inamovibles.

MODIFICATION DU RAPPORT ET NOTAMMENT DE LA RÉPARTITION DES COMPÉTENCES

Sur ce point, l'exemple qui s'impose est celui de la Grande-Bretagne.

Ce pays a traversé en 1910-1911 une crise constitutionnelle grave que dénoue le vote du Parliament Act qui modifie le fonctionnement du régime britannique. La Chambre des lords y perd une partie de ses prérogatives puisque la réforme achève de déplacer le centre de la décision politique vers la chambre élue (la Chambre des communes), consacrant ainsi la suprématie de la Chambre démocratique sur la Chambre aristocratique. Dans le même objectif, elle réduit en 1911 la durée des législatures, ramenée de sept à cinq ans, pour la Chambre des communes.

On pourrait encore évoquer toute la gamme des procédures qui multiplient les contacts entre gouvernants et gouvernés, et donnent l'occasion au corps électoral de faire connaître son sentiment, ou d'exercer un contrôle sur l'acti-

vité de ses représentants ou de l'exécutif. Ainsi, la possibilité
est donnée à une fraction des citoyens de déposer une proposition de loi, au lieu de laisser le monopole de l'initiative au
gouvernement et aux représentants. Le référendum est pratiqué en Suisse et dans plusieurs États de l'Union américaine; le rappel, ou *repeal*, permet au corps électoral, soit
d'abréger le mandat de certains fonctionnaires, soit d'annu-
ler certaines dispositions législatives. Toutes ces procédures
qui ont été expérimentées principalement dans les États de
l'Ouest des États-Unis, entre le Mississippi et les Rocheuses,
disposent les éléments d'une démocratie plus directe que la
démocratie représentative. C'est une des lignes d'évolution
possibles pour les régimes démocratiques.

La démocratie autoritaire.

Jusqu'à présent, nous avons raisonné comme si la démocratie parlementaire était la forme accomplie, la seule expression authentique de la démocratie. Or, au XIXe siècle, les
démocrates sont loin d'être unanimes sur ce point. Échaudés
par les expériences récentes, ils inclinent plutôt à opposer
la démocratie au parlementarisme, les institutions représentatives restant trop liées dans leur souvenir au régime censitaire, les chambres trop marquées par la Restauration et
la monarchie de Juillet qui en ont favorisé l'épanouissement.
Aussi, les démocrates optent-ils plutôt pour une démocratie
directe et autoritaire, d'autant que le passé fournit des réfé-
rences nombreuses à l'appui de l'assimilation de la démocratie à des régimes autoritaires. A preuve la Révolution
française dont la période la plus démocratique par l'orientation de la politique est celle du gouvernement révolutionnaire où l'autorité était concentrée entre les mains d'un petit
nombre d'hommes.

Il faut donc avoir présent à l'esprit qu'au XIXe siècle, l'alternative reste ouverte au régime démocratique entre la forme représentative et parlementaire et la forme directe et autoritaire. Dans un cas comme dans l'autre, le pouvoir tient ses origines du consentement populaire, mais dans le premier cas, le peuple souverain délègue son pouvoir à des représentants pour la durée de la législature tandis que dans l'autre, il le confie à un exécutif qui court-circuite les assemblées parlementaires. Il y a ainsi un type de démocratie plébiscitaire, antiparlementaire, antilibérale, associant l'autorité et le fondement populaire, qui constitue, à sa façon, une forme de démocratie. Celle-ci a trouvé son expression en France avec le régime bonapartiste des premier et second Empires et, au reste, ses opposants, légitimistes ou orléanistes, ne lui pardonnent pas d'être à la fois un régime populaire et autoritaire.

Le régime que Bismarck instaure dans l'Allemagne unifiée se rapprocherait de cette conception de la démocratie puisqu'on y trouve à la fois un gouvernement autoritaire concentré entre les mains d'un chancelier, le suffrage universel et l'absence de responsabilité ministérielle devant le Parlement.

Apparition des partis modernes.

A côté de ces transformations qui affectent les institutions officielles, et qui sont le résultat de délibérations législatives, d'autres changements de caractère spontané ont modifié la pratique politique. Le plus décisif est l'apparition des partis politiques modernes qui sont la conséquence logique du rôle grandissant des consultations électorales et répondent à des nécessités fonctionnelles. Intermédiaires entre les individus et les institutions, ils sélectionnent des candidats, proposent des programmes, formulent des options et inscrivent les solutions techniques dans des perspectives d'ensemble et des philosophies globales.

Les partis sont la réponse spontanée à la mutation de la vie politique. De fait, à chaque type de corps électoral correspond un type de parti. S'il y avait déjà, d'une certaine façon, des partis politiques en régime censitaire, leur nature, leur structure, leur physionomie étaient bien différentes de celles des partis actuels. Durant l'âge libéral, les partis ne sont guère que des clubs, des cercles mondains, des coteries. Avec le suffrage universel et la démocratie, ils changent de taille et de nature; leur vocabulaire même porte la trace de cette mutation. Si, au xixᵉ siècle, les whigs changent de nom et deviennent les libéraux, si les tories troquent le leur contre celui de conservateurs, ce n'est pas simplement pour se moderniser; des whigs aux libéraux, des tories aux conservateurs, il y a un véritable changement. Les whigs étaient une coterie parlementaire; le parti libéral est une formation ouverte, qui recrute des adhérents et dispose d'un appareil permanent ramifié sur l'ensemble du territoire.

Dans la seconde moitié du xixᵉ siècle, on voit en Angleterre, aux États-Unis, en France un peu plus tard, se constituer et grandir les ancêtres de nos partis actuels.

Leur évolution présente entre autres quelques traits essentiels.

Les partis s'institutionnalisent : d'intermittents, ils tendent à devenir permanents. A l'origine, en 1848, encore en 1871, la plupart des partis ne sont guère que des comités locaux, éphémères, sans coordination, qui surgissent dans chaque circonscription à l'approche des élections et disparaissent au lendemain même de la consultation électorale. C'est un groupement local, temporaire, uniquement destiné à préparer l'élection, à choisir un candidat, et à lui apporter appui et soutien : c'est un comité de patronage. Peu à peu, avec la pratique régulière des élections, ces comités tendent

à se perpétuer et jettent d'une consultation électorale à la
suivante un trait d'union. En même temps qu'ils tendent
vers la continuité dans le temps, ils nouent des contacts,
se fédèrent régionalement, voire même nationalement.

Tel est le processus dont est sorti notre parti radical,
constitué, à l'origine, d'une profusion de comités électoraux.
Dans les années 1890-1900, le besoin d'un regroupement se
fait sentir. En 1901 se tient à Paris un congrès fédératif
dont sort le parti républicain radical et radical-socialiste.

Les partis commencent aussi à remplir des fonctions autres
que purement électorales. Écoles de pensée, ils deviennent des
centres de réflexion, formulent une doctrine, une idéologie
qu'ils propagent, ils assurent l'éducation politique. Systèmes
complets d'organisation, ils obtiendront bientôt droit de
cité en France où, pour la première fois en 1910, le règlement
de la Chambre reconnaît l'existence de groupes parlementaires. Jusque-là, c'était un axiome que les parlementaires ne
représentaient que leurs électeurs et n'engageaient qu'eux-
mêmes.

Parallèlement, les partis élargissent leurs assises, se démo-
cratisent. On passe des partis de notables à des partis de
militants. Les partis de masse datent du début du XXᵉ siècle,
les premiers étant les partis ouvriers. Ce sont des partis
d'un type nouveau qui postulent que le parti a priorité sur le
groupe parlementaire, les statuts prévoyant même que le
groupe parlementaire est subordonné au parti. Ainsi c'est
le comité directeur au sein duquel les dirigeants du parti
et les élus des militants détiennent la majorité, qui arrête
la ligne de conduite du groupe parlementaire, décide de sa
participation ou de sa non-participation au gouvernement,
maintenant le groupe parlementaire dans un rapport de
dépendance. D'autre part, ces partis sont unis internatio-
nalement. Le parti socialiste est la section française de
l'Internationale ouvrière. Après la révolution de 1917, le

parti communiste poussera à ses conséquences extrêmes cette évolution en suscitant un parti d'un type tout nouveau.

La vie à l'intérieur des partis est la réplique de l'activité parlementaire : les décisions sont arrêtées en congrès par des délégués élus disposant de mandats pour les votes sur les motions d'orientation. Des tendances s'affrontent, revendiquent une représentation proportionnelle au sein des instances directrices. Le modèle de la discussion parlementaire est adopté par tous les organes de la vie politique et devient la formule type.

A l'extérieur du Parlement et en dehors des partis, la démocratisation progressive et l'universalisation du suffrage impriment un tour original aux relations politiques. On est passé d'une vie politique confinée dans des cercles mondains ou dans des clubs à une vie politique de plein air et de plein vent avec les meetings, les campagnes électorales sous les préaux des écoles, dans les gymnases et les stades.

LES PROLONGEMENTS DE L'IDÉE DÉMOCRATIQUE

La démocratisation du régime et de la société ne se limite pas aux institutions. Elle s'étend à d'autres aspects, tantôt par un développement naturel de l'idée démocratique, tantôt parce que le fonctionnement normal du régime démocratique le requiert. A l'expérience, on s'avise en effet que le jeu normal des institutions appelle d'autres institutions auxquelles on n'avait pas encore songé.

Ainsi, l'extension du droit de vote à tous les citoyens rend souhaitable que les citoyens soient en mesure de connaître les données élémentaires des choix politiques de façon à pouvoir exercer leur jugement. Ainsi, une instruction primaire généralisée apparaît-elle vite aux fondateurs de la démocratie politique comme le prolongement naturel, une exigence logique du système. De même, la diffusion de l'information, sa liberté d'expression apparaissent comme nécessaires si l'on ne veut pas que la démocratie se réduise à un simple simulacre.

En d'autres domaines, les raisons ne tiennent plus à la nécessité pratique mais au souci de fidélité à l'inspiration démocratique. L'égalité politique appelle l'égalité sociale, l'égalité de chances, l'effacement progressif des distinctions qui résultent de la naissance ou de la fortune, qui trouveront leur point d'application entre autres dans une répartition équitable des charges fiscales et des charges militaires.

Ainsi, tantôt par une nécessité inhérente à l'exercice effectif de la démocratie, tantôt par le prolongement naturel de son inspiration, la démocratie modifie non seulement la forme du régime mais tend encore vers l'harmonisation des institutions politiques et des institutions sociales.

L'INSTRUCTION

L'instruction et l'information sont les deux conditions indispensables à un fonctionnement régulier de la démocratie. Elles vont de pair puisque c'est l'instruction qui fournit à la presse ses lecteurs et que la presse suppose un public suffisamment instruit.

L'enseignement tient au XIXᵉ siècle une place éminente dans les luttes politiques, les débats parlementaires, les campagnes électorales, les controverses qui divisent l'opinion, et ce dans la plupart des sociétés démocratiques de l'Europe occidentale ou centrale. Les démocrates se proposent, en matière d'enseignement, deux objectifs connexes.

Le premier est d'ordre quantitatif et consiste à étendre la base de l'enseignement. Au XIXᵉ siècle, qui dit enseignement dans une perspective démocratique songe essentiellement à l'enseignement primaire. Si les libéraux — raisonnant dans la perspective d'une vie politique restreinte — s'inté-

ressaient presque exclusivement à l'enseignement secondaire
qui préparait les futurs électeurs du pays légal, les démocrates en instituant le suffrage universel ne peuvent plus se
contenter de cet enseignement de classe et doivent l'élargir
à tous les citoyens. Ainsi, l'enseignement primaire aura pour
mission de donner à chaque homme les rudiments indispensables qui feront de lui un citoyen avisé.

Les étapes de l'évolution démocratique de l'Europe sont
marquées par les dispositions que prennent Parlements et
gouvernements pour assurer l'universalité de l'instruction.
En France, ce sont les grandes lois auxquelles reste attaché
le nom de Jules Ferry, ministre de l'Instruction publique
presque continûment de 1879 à 1885. La Belgique a adopté
des mesures analogues en 1878. C'est en 1877 que le gouvernement italien pose le principe de l'universalité. En Grande-
Bretagne, entre 1870 et 1890, des lois tendent pareillement à
assurer la généralité et la gratuité de l'enseignement.

L'universalité comporte à la fois le caractère obligatoire
de l'enseignement — les parents ne peuvent y soustraire
leurs enfants — et la gratuité, puisque, en effet, il était
impossible d'imposer aux familles l'obligation, sans la
prise en charge par l'État ou les collectivités locales des
dépenses afférentes : c'est l'organisation d'un service public
de l'enseignement.

L'idée que l'instruction incombe aux pouvoirs publics
est antérieure aux années 1870-1885. La Révolution en avait
énoncé le principe, mais sans avoir eu le temps de l'appliquer. En France, c'est sous la monarchie de Juillet que, pour
la première fois, les pouvoirs publics en font une réalité avec
la loi Guizot de 1833 qui fait obligation à toutes les communes d'ouvrir une école et de mettre à la disposition de qui
le désire les moyens d'acquérir une instruction. Cette école
pouvait être confiée à des instituteurs formés par les écoles
normales, ou à des congréganistes, mis à la disposition des

municipalités par les ordres religieux dont l'enseignement est l'activité traditionnelle.

Le second objectif est idéologique : il tend à soustraire l'enseignement en voie de développement à l'influence des adversaires de la démocratie. La préoccupation politique est inséparable de la première car si les républicains en France, les libéraux en Belgique ou en Italie souhaitent la généralisation de l'enseignement, ils n'entendent pas qu'elle accroisse l'influence de leurs adversaires, les droites traditionalistes et surtout l'Église. C'est pour cette raison que la question de l'enseignement est, au XIXe siècle, et encore au XXe siècle, liée de si près à la question religieuse.

Avant même la généralisation de l'enseignement, les premières associations privées à se constituer, pour faire pression sur les pouvoirs publics et leur arracher une législation, sont d'inspiration nettement anticléricale telle la Ligue de l'enseignement, créée en Belgique avant son émule française en 1866. On ne peut dire de ces controverses qu'elles soient complètement éteintes puisqu'on les a vu rebondir sous la quatrième et la cinquième République en 1951 avec la loi Barangé et en 1959 avec la loi Debré.

Dans les pays à dominante protestante, la question ne se pose pas dans les mêmes termes. La controverse idéologique y est moins vive, mais pourtant elle oppose les confessions dissidentes aux Églises établies.

En Europe centrale et orientale, le développement de l'enseignement soulève d'autres problèmes. Dans les pays qui n'ont pas encore obtenu leur indépendance, et pour les nationalités qui luttent pour la reconnaissance de leur personnalité politique et culturelle, l'école est liée à la défense de celle-ci. C'est le cas des provinces polonaises de l'Empire allemand, des nationalités slaves de l'Empire austro-hongrois. En quelle langue l'enseignement se fera-t-il? L'école est au centre des luttes nationales.

Avant 1914, l'information, c'est la presse, et l'évolution en ce domaine est juridique, technique et sociologique.

Juridique afin d'obtenir un statut moins restrictif que celui hérité des régimes censitaires et des monarchies constitutionnelles. Certes, la presse avait bien obtenu certaines libertés, mais pas la liberté; l'existence des journaux restait soumise à des conditions qui en restreignaient l'exercice, et leur enlevaient souvent la possibilité même de naître. Les charges financières imposées par la législation — dépôt d'un cautionnement, droit de timbre élevé, constantes menaces d'amende — sont autant de limites à la possibilité de s'exprimer.

L'évolution démocratique, dans tous les pays, abolit cette législation restrictive. L'une après l'autre, tombent les contraintes, .les exigences juridiques, administratives, financières, que les pouvoirs publics avaient imaginées.

La Grande-Bretagne ayant montré la voie dans ce domaine, l'Europe continentale s'y engage à son tour.

En France, c'est la loi de 1881 qui établit le régime de la presse qui subsiste encore sous réserve de quelques restrictions adoptées en 1892-1894 pour la répression des attentats anarchistes, avec le vote des lois dites scélérates (ainsi appelées par les socialistes qui redoutaient que l'exécutif n'utilise ces dispositions contre toute propagande remettant en cause le pouvoir).

Parallèlement à la libéralisation du régime juridique, s'opère un élargissement de la clientèle, les deux faits n'étant pas sans rapport. La levée des barrières juridiques ouvre un nouveau marché et, réciproquement, la conquête d'une clientèle nouvelle permet à la presse de jouir des facilités que le droit lui ouvre désormais.

L'extension du public s'explique par l'extension de l'en-

seignement. A mesure que l'instruction obligatoire entre en
vigueur — et à la fin du XIXe siècle presque tous les Français
sont passés par l'école —, elle crée de nouveaux lecteurs en
puissance.

Pourtant, il ne suffit pas qu'ils sachent lire, il faut encore
qu'ils aient les moyens d'acheter un journal. Dans la première
moitié du XIXe siècle, le journal est une denrée coûteuse,
qu'on ne lit guère que par abonnement, et cette mise de
fonds est loin d'être à la portée de toutes les bourses. Aussi
s'associe-t-on pour prendre un abonnement ou bien va-t-on
lire les journaux dans les salons de lecture et dans les cafés.

Dans la seconde moitié du XIXe siècle les journaux peuvent
abaisser progressivement leur prix grâce au progrès technique, qui permet d'augmenter le tirage, et au développement
de la publicité dont le précurseur fut Émile de Girardin
qui, le premier en 1836, ouvrit les colonnes de son journal *la Presse* à des annonces commerciales. L'abaissement du prix du journal le rend désormais accessible à de
nouvelles couches sociales de lecteurs. De fait, si à la veille
de la révolution de février 1848 le tirage total des quotidiens
— 200 à 250 000 numéros — couvre le pays légal, à la veille
de 1914 les journaux en France tirent à 8 ou 9 millions pour
un peu plus de 10 millions d'électeurs. Ainsi la courbe du
tirage des journaux tend à se rapprocher du chiffre des électeurs, les deux se rejoignant dans l'entre-deux-guerres.

Toutes ces innovations font de la démocratie une réalité
effective et pas seulement un principe inscrit au fronton du
régime.

L'ÉGALISATION DES CHARGES MILITAIRES

Pour des raisons qui tiennent moins à son fonctionnement
qu'à son inspiration égalitaire, la démocratie s'attache à
mieux répartir les charges militaires et les charges fiscales.

C'est le même principe d'égalité démocratique qui avait

imposé l'égalité devant la justice et devant l'impôt, qui inspire
le système de la conscription, c'est-à-dire de l'inscription de
tous les citoyens en âge de porter les armes sur des listes,
leur répartition par classe d'âge, et l'appel de ces classes
par ordre, à concurrence des besoins. La Révolution en fait
désormais le régime ordinaire du service militaire.

Mais ce système peut comporter toutes sortes d'exceptions
et de nombreuses dispenses. Au XIXe siècle, la plupart des
pays associent l'engagement de volontaires à la conscription
considérée comme force d'appoint. Aussi on ne fait appel
qu'à une fraction de la classe, et ce d'autant plus que le service militaire est de longue durée (de 5, 6 ou 7 ans, d'après
la loi de 1870; en Russie jusqu'à 25 ans). Puisqu'il suffit
d'incorporer une fraction réduite du contingent, le service
militaire est donc plutôt l'exception que la règle. Pour départager les appelés, on recourt au tirage au sort, avec la possibilité pour ceux qui en ont les moyens de s'acheter un rem-
plaçant.

En dépit du principe, c'est un régime inégal dont l'inégalité repose sur le sort corrigé par l'argent; c'est, en quelque
sorte, dans ce domaine l'équivalent du régime censitaire
pour les institutions politiques : il existe également pour le
service militaire un pays légal et un pays réel.

Au regard des principes démocratiques pareille inégalité
est choquante. Aussi, au XIXe siècle, l'évolution des lois
militaires, dans la plupart des pays européens, se fait dans le
sens d'une abolition progressive de ces clauses, et d'une
réduction de la durée du service militaire à trois ou même à
deux ans comme le prévoit la loi de 1905 en France. Dès lors
que la durée est ramenée à deux ans, il devient indispensable
d'incorporer la totalité du contingent. Nécessaire dans
l'immédiat, l'appel de la classe entière présente à terme
l'avantage considérable de disposer de réserves plus nombreuses. On s'achemine vers la réalisation de l'idée de la

nation tout entière en armes. L'une après l'autre, on voit disparaître les exemptions, les dispenses accordées en raison de l'état professionnel (les ecclésiastiques ont longtemps été dispensés, en France, jusqu'à la loi de 1889), de l'instruction (les bacheliers ne faisaient que six mois de service). En Belgique, la loi de 1909 stipule qu'un fils au moins dans chaque famille doit faire son service militaire. C'est le pendant du vote plural : on tient compte de l'entité familiale. Quatre ans plus tard, en raison de l'aggravation de la situation internationale, la loi de 1913 rend le service militaire général. Comme pour les lois sur l'instruction, les dates dessinent une sorte de calendrier commun des grandes lois militaires : pour la France, 1889-1905; la Belgique, 1909-1913, Pays-Bas, 1898, une partie de l'Europe opérant la même mutation politique et sociale.

Alors que la Grande-Bretagne recourait, pour recruter les équipages de ses navires, au système de la presse, c'est-à-dire la rafle des hommes, sans leur demander leur avis, sur les navires de Sa Majesté, elle s'est obstinément refusé à adopter pour l'armée de terre la conscription qu'elle tenait pour une atteinte à la liberté individuelle. Le système du volontariat ne suffisant plus à renouveler les effectifs, la Grande-Bretagne adoptera en 1916 seulement la conscription qu'elle supprimera dès la guerre finie, y reviendra à la veille de la Seconde Guerre mondiale, au printemps 1939 — geste de portée symbolique qui montre la gravité de la situation —, pour l'abolir depuis.

Cette généralisation du service militaire et l'égalisation devant la charge qu'impose la défense nationale ont entraîné des effets considérables.

Des effets politiques puisque le service militaire rapproche l'armée et la nation, l'institution militaire et la société civile. Le service militaire a contribué à donner aux individus le sentiment de l'appartenance à une nation. Dans les pays dont l'unité est menacée par les particularismes provinciaux ou ethniques, l'armée est souvent le seul élément de cohésion, comme c'est le cas, entre autres, après 1867 en Autriche-Hongrie avec l'armée impériale et royale dont le rôle était un peu comparable à celui que nous voyons assuré dans les jeunes États récemment émancipés de l'Afrique du Nord, par les forces armées royales au Maroc, l'armée de la libération nationale en Algérie.

Des effets sociaux également dans la mesure où le service militaire peut être la voie d'une promotion sociale. Les lois militaires, qui règlent les conditions d'avancement, selon qu'elles ouvrent ou ferment aux sous-officiers la possibilité d'accéder au grade d'officier, sont à cet égard d'une grande importance. La démocratisation se mesure à l'étendue des facilités offertes aux soldats de carrière d'accéder par le rang, en concurrence avec les officiers sortis des grandes écoles.

Le fait aussi d'être mélangés dans des unités dont le recrutement n'est pas régional, contribue à briser les particularismes régionaux et sociaux, met les ruraux en contact avec les habitants des villes, fait reculer les dialectes au profit de la langue nationale. Le passage par l'armée soustrait encore les conscrits aux influences traditionnelles, au conformisme des communautés d'origine, les émancipe vis-à-vis des autorités sociales, des autorités spirituelles aussi. Il est probable que le service militaire a été un agent de déchristianisation aussi puissant que l'enseignement primaire, en ébranlant les habitudes confessionnelles qui maintenaient les populations rurales dans la fidélité religieuse.

Ainsi le service militaire universel a été à la fois un agent de démocratisation et un facteur de transformation sociale.

Au terme, on peut se demander — et la question s'est plus d'une fois posée — si l'institution militaire elle-même ne devait pas subir dans sa structure les contrecoups de la démocratisation de la société politique. C'est la signification profonde de l'affaire Dreyfus, qui révèle au grand jour l'antagonisme entre les principes d'une vie politique démocratique (individualisme, libre jugement, esprit critique), et une armée qui continue d'être fondée sur l'obéissance, la discipline, la hiérarchie, qui dispose de ses institutions judiciaires propres — les conseils de guerre — avec leur code disciplinaire. La démocratie peut-elle s'accommoder d'une société réglée par des principes qui sont, au fond, plus proches de ceux de l'Ancien Régime — inégalité, autorité, hiérarchie — que de ceux de la nouvelle société démocratique?

L'ÉGALISATION DES CHARGES FINANCIÈRES
DÉMOCRATISATION DE LA FISCALITÉ

Le principe restant le même et les institutions étant analogues, il s'agit d'étaler les charges sur le plus grand nombre de citoyens et de les répartir entre eux aussi équitablement que possible.

Avant 1914, il n'est pas question de faire du budget l'instrument d'une redistribution des revenus ni de retirer aux uns pour donner à ceux qui ont moins. Avant 1940, cette notion de l'utilisation possible du budget n'entre dans la législation financière que de quelques pays, la plupart des autres ne l'adoptant qu'au lendemain de la Seconde Guerre mondiale. Compte tenu des dépenses qui incombent à la puissance publique, la seule préoccupation, avant 1914, est de les couvrir par des recettes correspondantes et d'assurer au mieux la répartition de ces charges en élargissant l'assiette.

Tout au long du siècle, la masse globale des dépenses indispensables est allée sans cesse croissant puisque l'État reprend à son compte des attributions qui, jusque-là, incombaient à l'initiative privée ou qu'il laissait à la charge des collectivités locales, tels l'aménagement de la voirie et le développement d'un réseau routier. L'instruction aussi représente, à partir de 1880 pour tous les pays qui adoptent le principe de l'obligation et de la gratuité, un poste important du budget. Mais c'est surtout la paix armée qui accroît démesurément le budget de la Défense nationale, la situation internationale se caractérisant, dans les quinze années qui précèdent le premier conflit mondial, par la multiplication des systèmes d'alliances qui créent aux gouvernements l'obligation de se porter éventuellement au secours de leurs alliés et par la course aux armements dans laquelle tous les pays sont entraînés. L'Allemagne et la France, au premier chef, consacrent des sommes de plus en plus élevées au renouvellement de leur matériel. La technique militaire fait alors de grands progrès; la guerre de Mandchourie (1904-1905) a servi de banc d'essai, un peu comme à partir de 1936 la guerre d'Espagne pour l'Allemagne nationale-socialiste. De nouveaux types d'armements terrestres, maritimes sont mis au point avec la croissance rapide de la marine de guerre allemande qui oblige la Grande-Bretagne à réarmer. Pour corriger l'inégalité démographique, la France, en 1913, porte la durée du service militaire de deux à trois ans. Le budget global de la guerre et de la marine représente donc une somme de plus en plus importante qui oblige pour de simples raisons techniques à une refonte du système fiscal. Les impôts traditionnels devenant nettement insuffisants, il faut chercher un nouveau mode de financement.

Les raisons idéologiques et politiques rejoignent les nécessités techniques et militent en faveur d'impôts plus efficaces et plus démocratiques. L'essentiel des ressources consistant en impôts indirects de consommation ou en impôts traditionnels dont l'assiette n'a pas été révisée, la répartition de la charge ne correspond plus du tout aux possibilités contributives des individus et des collectivités, d'autant que l'on continue d'asseoir l'impôt foncier sur le cadastre de 1807.

Depuis longtemps, les démocrates les plus avancés avaient émis l'idée d'un impôt sur le revenu. Elle fait partie du fameux programme de Belleville, sur lequel Gambetta s'était porté candidat en 1869, et qui reste pour les radicaux la loi et les prophètes. En Grande-Bretagne, lorsque arrive, en 1906, à la Chambre des communes, une majorité libérale radicale où le parti libéral fait une large place à une aile gauche plus avancée, le gouvernement, dont Lloyd George est chancelier de l'Échiquier, propose et fait adopter l'établissement d'un impôt qui frappe lourdement les grandes fortunes et le capital. C'est ce budget Lloyd George, imposé par la course aux armements et les dépenses sociales, qui est au principe de la grave crise constitutionnelle qui opposera en 1910-1911 la majorité de la Chambre des communes aux Lords et qui se dénouera par l'abaissement de la Chambre des lords et le vote du Parliament Act qui achève de faire du Parlement britannique un parlement effectivement démocratique.

En France, l'impôt sur le revenu se heurte à de très vives résistances. On craint qu'il ne bouleverse les situations acquises, on s'inquiète de ses modalités d'application. L'avantage des impôts traditionnels était que leur perception s'effectuait automatiquement, n'appelant aucun contrôle, aucune déclaration. L'impôt sur le revenu exigeant une déclaration des contribuables et sa vérification, c'est la porte ouverte, disent les opposants, à l'inquisition fiscale, expression qui fait fortune. Pour surmonter résistances et préjugés, il ne faudra pas moins que la guerre. On retrouve avec cet exemple la vérité d'une proposition déjà énoncée selon laquelle les guerres sont au principe de bon nombre des mutations politiques, sociales, institutionnelles, psychologiques de nos sociétés. Sans la Première Guerre mondiale, la France aurait peut-être attendu 1936 ou 1945 pour adopter l'impôt sur le revenu. La nécessité de financer l'effort de guerre oblige le Parlement à l'adopter en 1917.

L'Allemagne, en 1912-1913, un peu plus tôt que la France, et pour financer également l'effort d'armement, institue un impôt extraordinaire sur le capital, perçu une fois pour toutes. Les Pays-Bas, la Suisse en font autant. Les États-Unis, en 1913, ont établi la proportionnalité d'abord, puis la progressivité quand on s'avisa que la proportionnalité n'est pas équitable, puisqu'elle impose plus lourdement les faibles revenus que les gros revenus.

Ainsi la démocratisation s'est étendue à tous les aspects de la société, et pas seulement à la superstructure politique; elle a transformé la législation mais aussi les rapports sociaux, les mœurs, les goûts même. Une société, une civilisation nouvelles sortent de ces dispositions.

Cette évolution a touché plus tôt et plus profondément certains pays dont la Grande-Bretagne, les États-Unis, la France. Mais la démocratie n'est l'apanage d'aucun pays, et les exemples mêmes prouvent assez que sa contagion s'est exercée bien au-delà de l'Europe occidentale; la démocratie, tant politique que sociale, a rapidement débordé son domaine originel, le secteur où elle avait pris naissance et était constituée en tant que régime et que forme de société.

Entre 1848 et 1918, la courbe de la démocratie n'a cessé d'être ascendante. La victoire des Alliés de 1918 en étend encore le domaine puisqu'une de ses premières conséquences est la substitution de régimes démocratiques aux régimes autocratiques ou traditionalistes dans la partie de l'Europe jusqu'alors réfractaire à la pénétration des idées démocratiques. La Seconde Guerre mondiale aura le même effet.

Aussi se gardera-t-on d'anticiper en parlant trop tôt de déclin de la démocratie. Ce n'est en tout cas pas avant 1918 qu'on peut déceler des symptômes précurseurs d'une crise de la démocratie.

Mais la démocratie va connaître la même aventure que le libéralisme. Le libéralisme avait d'abord été une idée subversive avant de devenir un principe de conservation politique et sociale, il avait lutté dans un premier temps contre les vestiges de l'Ancien Régime et les retours offensifs de la tradition, puis, dans un second temps, contre les idées démocratiques.

Le même cycle se reproduit pour la démocratie qui est aussi amenée à se battre sur deux fronts. Dans un premier temps, elle lutte contre ce qui peut survivre de l'Ancien Régime dans les pays où le libéralisme n'a pu pénétrer mais surtout contre le libéralisme auquel elle reproche son oligarchisme, à qui elle fait grief de réserver l'exercice des libertés à une élite choisie. Elle milite pour l'extension à tous des garanties individuelles, des droits politiques, de l'instruction, de l'information. Elle va être cependant amenée à combattre sur un second front, débordée qu'elle est bientôt par l'inspiration socialiste qui lui reproche à son tour de ne pas être assez démocratique, qui lui objecte que les principes sont une chose et que la réalité en est une autre, qu'il ne suffit pas d'inscrire dans la loi le suffrage universel et le droit de tous à l'instruction pour que l'égalité soit assurée *ipso facto*. Le socialisme fait campagne pour une égalité effective et la démocratie se trouve ainsi prise entre deux feux, celui du libéralisme déjà déclinant, celui d'un socialisme bientôt ascendant.

4

L'évolution du rôle
de l'État

L'État aussi *a une histoire*. Nous entendons par là que
son rôle et sa place dans la société ne sont pas fixés une
fois pour toutes : l'évolution de ses fonctions a même été
une des données majeures de l'histoire des deux derniers
siècles. L'idée aussi de ce que devaient être et sa responsabilité et ses modes d'intervention a varié substantiellement
depuis un siècle ou un siècle et demi. Aussi manquerait-il
une dimension capitale à notre étude si elle omettait de
décrire et d'expliquer cette évolution. On s'attachera donc
à en dégager le sens général — si elle en comporte un. Car
la question se pose. Avant de reprendre les lieux communs
dont le discours ordinaire est prodigue, du type « le rôle
de l'État a connu une croissance indéfinie », il importe
d'éprouver la justesse de ces considérations générales en les
confrontant à la diversité des expériences particulières. Est-il
possible de ramener à un type unique d'évolution l'histoire
de sociétés politiques aussi dissemblables que l'Angleterre
et la Russie, l'Autriche-Hongrie et les États-Unis ? D'autre
part, pour un même pays, n'y eut-il qu'une seule tendance
ou l'analyse ne conduit-elle pas à en reconnaître plusieurs
dont les orientations sont loin de converger ? Essayons d'introduire un peu de clarté dans l'enchevêtrement des évolutions institutionnelles sans sacrifier pour autant la diversité
concrète des expériences nationales et des situations cir-
constancielles.

1. La situation en 1815

Faisons le point au début de la Restauration. Il se définit à la jonction de deux phénomènes qui appartiennent à des ordres de réalité distincts et qui ont développé des effets apparemment contraires : le mouvement des idées et la pratique des institutions.

1. Le premier est dominé sans partage par la *défiance à l'égard du pouvoir*. Les théories de la plupart des philosophes politiques, les aspirations de l'esprit public, l'inspiration première de la Révolution française, l'admiration du modèle britannique et du gouvernement américain concourent à l'émancipation de l'initiative privée et travaillent à l'envi pour le relâchement de l'autorité gouvernementale. La logique du mouvement a pour conséquence de rétrécir le champ d'intervention de la puissance publique et d'instaurer le contrôle permanent des gouvernés sur l'action des gouvernants par l'intermédiaire des représentants élus. La séparation des pouvoirs, le soin apporté à assurer leur équilibre et leur neutralisation de fait procèdent de cette volonté de réduire le domaine et le pouvoir de l'État.

2. Mais, dans le même temps, ou presque, par une conséquence non délibérée mais inéluctable de la Révolution, *le pouvoir sort renforcé* de la tourmente : en faisant table rase du passé et de ses institutions, la Révolution se trouve avoir travaillé pour lui : elle a déblayé le terrain de tous les obstacles qui embarrassaient sa marche et entravaient son action. Le despotisme napoléonien ne diffère peut-être pas notablement dans son inspiration et dans ses ambitions du despotisme éclairé ou de l'absolutisme monarchique, mais il est incomparablement mieux armé pour accomplir ses desseins. Il dispose avec une administration uniforme et centralisée des moyens qui faisaient défaut à ses prédécesseurs. De ces deux tendances opposées laquelle aura le dernier mot?

2. L'âge d'or du libéralisme

Si l'inclination autoritaire continue de prévaloir à l'est de l'Europe et si les gouvernements qui succèdent à Napoléon sont tous tentés, même si c'est en contradiction avec leurs convictions et leurs principes, de conserver les prérogatives et les instruments du pouvoir impérial, la tendance est néanmoins dans les pays les plus avancés socialement et culturellement de l'Europe occidentale au triomphe de l'initiative privée et à la régression de l'intervention étatique. Le XIXᵉ siècle a été l'âge d'or du libéralisme : pendant quelques décennies, la pratique des États occidentaux a été l'expérience la plus approchée du modèle libéral. Il y eut un moment où l'accord fut presque complet entre les principes et les applications, la doctrine reconnue et les comportements. Arrêtons-nous un instant à décrire cette harmonie entre l'état de droit et l'état de fait.

On sait quelles sont les idées maîtresses de la pensée libérale. L'initiative individuelle est le moteur, le ressort de toute activité valable. L'État doit se garder d'y substituer la sienne : il s'abstiendra même de contrôler les initiatives privées ou de les réglementer, sauf à réprimer celles qui en fausseraient le libre exercice ou à rompre les entraves qu'y mettrait la malhonnêteté de quelques-uns. Les pouvoirs publics borneront donc leur rôle à sanctionner les infractions et à en prévenir la répétition. L'État doit observer une stricte *neutralité* à l'égard de tous les agents de la vie économique comme de toutes les catégories sociales : neutralité juridique, avec l'égalité reconnue des droits, neutralité fiscale aussi, le système des impôts ne devant pas plus avantager une catégorie que tenter de corriger les inégalités qui peuvent résulter du jeu normal des lois naturelles. Le meilleur gouvernement est celui qu'on ne sent pas, qui se fait oublier.

En conformité avec ces postulats, les fonctions de l'État

se réduisent à un noyau fort restreint d'attributions, les seules dont l'exercice est indispensable au fonctionnement normal d'une société et que nul autre pouvoir ne saurait assurer. La liste en est vite dressée : édicter la loi et la faire appliquer, en en sanctionnant les violations ; arbitrer les litiges entre particuliers portés par eux devant les juridictions publiques ; maintenir l'ordre public à l'intérieur ; assurer la sécurité extérieure et la défense des intérêts de la collectivité auprès des autres pays ; recouvrer les sommes qui permettront de subvenir aux dépenses — modestes — impliquées par ces quelques tâches.

Cette définition restrictive des obligations de la puissance publique se vérifie à plusieurs signes. Dans la structure des gouvernements, au petit nombre des départements ministériels : jusqu'en 1880, les cabinets français ne comptent pas plus de huit ou neuf membres (Intérieur, Justice, Affaires étrangères, Guerre, Marine, Commerce et quelques autres dont les intitulés varient au hasard des combinaisons et au gré des rattachements). Ce n'est qu'en 1881 qu'est créé un ministère de l'Agriculture. On n'est pas très éloigné des six départements qui composaient les ministères de la monarchie absolue à la fin de l'Ancien Régime et de la monarchie constitutionnelle de 1791. La Grande-Bretagne attendra le début du xxᵉ siècle pour avoir un ministère de l'Intérieur. Quant au gouvernement fédéral des États-Unis, il compte à peine une demi-douzaine de membres autour du président. Les employés des services publics, tant dans les administrations centrales que dans les services extérieurs, sont encore peu nombreux : quelques milliers dans les pays sans tradition centralisatrice (en 1800, le gouvernement des États-Unis n'employait qu'une centaine de personnes), quelques dizaines de milliers dans ceux qui ont une habitude séculaire d'un gouvernement centralisé. Le volume des budgets publics est encore modeste et ne fait pas peser, en dépit de ce qu'en pensent les contribuables, une charge très lourde sur les particuliers ni sur le produit national : les rentrées d'impôts n'ont pas d'autre objet que de couvrir les dépenses propres de l'État, celles qui lui incombent du fait de ses tâches.

L'État n'est ainsi qu'une petite chose à la surface de la société. Même dans les régimes réputés les plus contraignants et qui de fait confisquent les libertés individuelles élémentaires, la puissance publique ne songe pas à s'immiscer dans une gamme étendue d'activités dont elle laisse la responsabilité exclusive à l'initiative privée.

3. La croissance du rôle de l'État

Les signes.

Que les choses aient depuis cet âge d'or libéral radicalement changé, c'est assez manifeste pour se passer de démonstration. Bornons-nous à en relever quelques indices, qui se retrouvent dans tous les pays, quel que soit leur régime politique, et qui font un saisissant contraste avec les signes précédemment observés de la discrétion de la puissance publique.

D'abord, la structure des gouvernements. Le nombre des départements s'est multiplié par trois, quatre ou dix. Depuis l'entre-deux-guerres, il est exceptionnel en France qu'un cabinet comprenne moins d'une trentaine de ministres ou de secrétaires d'État et cette inflation n'est pas due uniquement aux convoitises individuelles. Encore l'accroissement est-il modeste en France, comparé à d'autres pays : le cabinet britannique compte assez habituellement une soixantaine de membres. Quant à l'Union soviétique, c'est à plus d'une centaine que s'élève le nombre des responsables de départements ministériels. Tous les pays ont connu semblable progression.

La croissance du nombre des fonctionnaires est bien plus remarquable. Aux États-Unis, les agents du gouvernement, qui n'étaient qu'une centaine au début du XIXᵉ siècle, ont largement dépassé le million. En France, les fonctionnaires, qui n'étaient que quelques dizaines de milliers au temps où Balzac écrivait ses *Employés*, avoisinent les deux millions. Et c'est partout que l'on enregistre pareille augmentation.

Quant au volume du budget public, son gonflement laisse loin derrière les coefficients multiplicateurs des personnels. La proportion qu'il occupe dans le revenu national n'a rien de comparable avec ce qu'elle était il y a un siècle. C'est aussi que la conception même qui préside à l'établissement et à l'utilisation du budget a changé du tout au tout : jadis il ne s'agissait que d'assurer le fonctionnement des seuls services publics. Il est désormais appelé à corriger les inégalités sociales, à régler les échanges, à stimuler les activités. Il devient l'instrument d'une politique sociale et économique. On saisit sur cet exemple que l'accroissement du rôle de l'État n'est pas seulement d'ordre quantitatif : l'extension de ses attributions traduit un changement de nature dans la notion de sa responsabilité, et la conception qui se fait jour et tend à prévaloir est aux antipodes de la philosophie libérale. C'est à cet égard une manière de révolution qui s'est accomplie, bien que de façon si progressive qu'elle est souvent passée inaperçue des contemporains. Il n'est pas sans intérêt de souligner que, dans la plupart des pays qu'elle a touchés — et c'est la presque totalité des sociétés —, ce changement n'est pas la conséquence d'un changement de régime, il n'est pas le fruit d'une révolution politique ou la promesse tenue par une opposition soudain portée au pouvoir par un coup de force. Il ne résulte même pas de la volonté de domination des hommes ou des formations installés au pouvoir, ni de la propension naturelle des institutions à élargir le cercle de leur action. Largement indépendant des préférences idéologiques comme de la nature des régimes politiques, le phénomène est général et paraît davantage découler de facteurs objectifs. Les tenants d'une intervention autoritaire de l'État y ont eu, tout compte fait, moins de part que les circonstances et la pression de certaines nécessités. Ce sont donc ces causes objectives, techniques ou sociologiques, qu'il faut examiner.

Les causes.

1. Cette évolution, qui devait aboutir à instaurer entre l'État et les individus, entre le public et le privé, un type de rapports radicalement contraire aux dogmes du libéralisme, est si peu le résultat d'un processus volontaire et la traduction d'un esprit de système que les premiers accrocs à l'application rigoureuse du code de non-intervention ont été dictés par le souci de garantir la liberté de l'initiative individuelle contre les excès mêmes du libéralisme : ainsi la répression des fraudes. Au reste ces interventions n'avaient rien de contraire à la pure doctrine libérale : elles étaient même parfaitement conformes à son inspiration fondamentale. La Déclaration des Droits de l'homme et du citoyen prévoyait expressément que la liberté individuelle n'était pas illimitée et qu'il appartenait à la puissance publique d'en tracer les limites. C'est effectivement pour préserver les libertés élémentaires, la sécurité, le droit à la vie, l'intégrité physique, que les premières restrictions ont été adoptées.

Dans le domaine de la santé publique (l'épithète atteste que la santé des personnes ne peut rester une affaire purement privée et que les pouvoirs publics ont à cet égard une responsabilité), l'État a peu à peu réglementé l'exercice de la médecine, celui de la pharmacie, la fabrication des médicaments, de même que la pureté et la qualité des produits alimentaires, la fabrication des conserves : les États-Unis, pays de la libre entreprise, n'en adoptent pas moins dès les débuts du xxᵉ siècle, à la suite d'une campagne de presse qui a attiré l'attention de l'opinion sur les méfaits de la liberté sauvage, un *Drug and Food Act* qui pose des règles qu'une administration spécialisée a pour mission de faire respecter par tous les fabricants. L'organisation des professions dont l'exercice pourrait avoir des conséquences graves pour la sécurité et l'intégrité physique des personnes procède du même souci : architectes, ingénieurs, de même que les procédures auxquelles est soumise la mise en service des ponts, des navires, des avions, etc. Dans les sociétés où l'État ne se charge pas lui-même de l'instruction, le contrôle de la compétence des enseignements relève encore de la préoccupation de réserver l'exercice de professions délicates à ceux qui présentent les aptitudes appropriées et reconnues.

Dans tous ces cas, l'État ne fait qu'exercer une autorité indirecte et intermittente : il pose des règles, il s'assure qu'elles sont observées, il sanctionne leur transgression. Nulle part il ne se substitue à l'initiative privée, il ne prend à sa charge telle ou telle activité. Son rôle est de contrôle et d'inspection.

Il agit encore dans le même esprit et pour les mêmes raisons quand il réglemente les conditions de l'emploi et du travail : l'adoption d'une législation sociale obéit au désir du législateur de préserver la santé des travailleurs, de garantir leur sécurité contre les accidents du travail. Il n'est pas question de peser sur le marché du travail et de modifier les termes en présence, à peine de protéger le faible contre la tyrannie du fort. La société s'écarte peut-être ainsi des règles du libéralisme dans la pratique, elle n'en conteste pas encore les principes et les dogmes.

2. Second groupe de causes à avoir peu à peu conduit l'État à sortir de son champ propre : les situations exceptionnelles. Leur caractère insolite autorise à suspendre l'application des règles ordinaires et à déroger aux usages. La gravité de leurs conséquences oblige les gouvernements à prendre des mesures également exceptionnelles, mais dont certaines survivront aux circonstances qui les avaient imposées. De ces situations exceptionnelles, il est plusieurs sortes.

D'abord les catastrophes naturelles et les calamités : désastres, inondations, tremblements de terre, épidémies, disettes. Les autorités publiques organisent alors les secours, distribuent les denrées, dirigent la remise en état, indemnisent les victimes, assurent la réparation des dommages. Rien dans tout cela qui défie les principes du libéralisme : ces malheurs déjouent les lois habituelles. D'une certaine façon, l'assistance publique aux malheureux, aux malades, longtemps laissée à la charité publique, ou confiée aux Églises (hôpitaux, hospices), pourrait s'apparenter à cette forme d'intervention en faveur des faibles et des démunis.

Il y a ensuite — autre forme de catastrophe — les grandes crises économiques. Si, au XIXᵉ siècle, les bons esprits estiment qu'il est conforme à l'ordre naturel que l'État ne s'en mêle point et attende que le jeu normal des mécanismes économiques rétablisse une situation saine, au XXᵉ siècle, les opinions publiques ne tolèrent plus pareille passivité : elles pèsent de tout leur poids sur les pouvoirs publics pour les contraindre à intervenir. Indemnité de chômage aux salariés sans travail (le *dole* britannique), grands programmes de travaux publics pour stimuler les économies paresseuses, renflouement avec les fonds publics des entreprises en faillite, telles sont quelques-unes des mesures exigées de l'État. C'est la grande dépression américaine de 1929 qui a eu aux États-Unis une part déterminante à la croissance du pouvoir fédéral (politique du New Deal).

Mais rien n'a égalé, pour le renforcement de la puissance publique et l'extension de ses attributions, l'effet des *guerres*. Elles créent une situation où tout est subordonné à la conduite de la guerre : tant de choses dépendent de la défaite ou de la victoire, à commencer par l'existence même de la collectivité nationale. Le salut public prime toute autre considération. Nécessité faisant loi, l'opinion admet que l'État prenne en charge la vie du pays, elle l'en presse même et lui en fait un devoir. L'efficacité le recommande, la justice et l'équité aussi pour éviter, par exemple, que des particuliers ne fassent des fortunes trop scandaleuses qui affaibliraient le moral des combattants et de l'arrière. Pour ces motivations, tant pratiques que sociales et stratégiques autant qu'éthiques ou psychologiques, les gouvernements ont tous été conduits, au cours des deux guerres mondiales, à prendre en main l'économie, à diriger la mobilisation de toutes les ressources, à répartir les matières, à réquisitionner les moyens, à rationner la distribution, à orienter autoritairement la main-d'œuvre. L'État devient le principal commanditaire, producteur, client, employeur : il construit des usines, finance, subventionne, suscite. Il réglemente aussi les prix, les loyers, les salaires, les relations du travail. Pour faire face à ces tâches nouvelles, se créent des administrations, se mettent en place des services, des corps de contrôle, des départements ministériels : Armement, Ravitaillement, Inventions, etc.

De ces innovations, bon nombre survivront à la guerre : la démobilisation les touchera peu. Pour plus d'une raison. Même si tous le voulaient, on ne le pourrait pas sur-le-champ : la situation a été trop profondément perturbée pour permettre le retour sans transition au *statu quo*. Il faut d'abord relever les ruines, restaurer les régions dévastées, reconvertir l'économie. La démobilitation de la machine de guerre exige de longs délais. La pénurie se prolonge, même dans les pays victorieux, à plus forte raison dans les autres. On maintient donc le blocage des loyers, le cours forcé de la monnaie de papier, le contrôle des changes et des échanges, la direction de l'armement naval. D'autre part, les habitudes contractées à l'occasion de la guerre se sont enracinées et les institutions nées des circonstances entendent bien perdurer : l'appareil juridique et institutionnel se perpétue donc. Chaque guerre comme chaque crise laisse ainsi des vestiges durables et nombreux de son passage, dans la structure des gouvernements, les effectifs des agents de l'État, le budget, la législation, la réglementation, l'esprit public.

3. Dans la plupart des cas que nous venons d'envisager, la puissance publique se bornait à réglementer, le rôle de l'État n'allant pas au-delà du contrôle. Sauf si le caractère exceptionnel des circonstances l'obligeait à intervenir, il ne se substituait pas à l'initiative privée. Mais, sur d'autres terrains, le progrès de la technologie, pacifique ou militaire, a conduit l'État à prendre la place ou la relève de l'initiative défaillante ou impuissante. Ainsi dans les pays où la tradition est ancienne de s'en remettre à la puissance publique : en France, où le colbertisme n'avait pas pour seule cause la volonté de puissance de la monarchie, mais aussi pour justification la carence de l'initiative; de même dans les pays de despotisme éclairé. Au XIXe et au XXe siècle, le coût des investissements, l'ampleur des mises de fonds initiales subissent une élévation si rapide et si considérable que les capitaux privés ne sont plus toujours à même d'y faire face : seul le budget public est en mesure de faire les sacrifices indispensables Déjà pour la construction des chemins de fer dans les pays où l'économie était à dominante foncière, la difficulté de mobiliser les capitaux conduisit les pouvoirs publics à prendre sur eux les risques majeurs et à consentir aux intérêts privés des conditions très avantageuses : concession de lignes et de réseaux, garantie d'intérêt. De

même pour les investissements dont la rentabilité à court terme est faible ou aléatoire. Même au pays de la libre entreprise — les États-Unis —, la production de l'énergie nucléaire et le développement de l'industrie atomique furent une entreprise d'État. Dans un nombre croissant de secteurs, les dépenses atteignent un tel taux que, bon gré mal gré, l'État est sommé d'intervenir : éducation, santé, logement, recherche. L'État moderne exerce sur une échelle agrandie le mécénat des princes de jadis.

4. A ces facteurs objectifs, exempts de toute influence idéologique, des facteurs de mentalité ont ajouté leurs effets. Les données de psychologie collective n'ont en effet pas eu moins de part à l'extension du rôle de l'État que les contraintes objectives. Elles sont liées à quelques-uns des courants de pensée précédemment évoqués. La reconnaissance progressive des implications et des applications de l'idéal égalitaire de la démocratie, l'aspiration à la justice qui s'exprime dans les écoles socialistes et le christianisme social ont fait paraître anachronique la notion libérale de non-intervention et de neutralité de l'État. Sur qui compter pour corriger les inégalités entre les individus, celles de la naissance comme celles qui résultent de la vie en société, redresser les injustices inhérentes au fonctionnement de la collectivité, sinon sur l'État? De plus en plus, le bonheur est considéré comme un droit de l'individu, une créance sur l'État tenu pour responsable de le lui assurer. Grâce aux progrès de la prévision, au développement de la planification, l'action des pouvoirs publics doit introduire plus de rationalité dans l'activité nationale et substituer une organisation logique et rentable à l'anarchie du laissez-faire. Passion de l'égalité, aspiration à la justice, désir de rationalité, volonté de grandeur, raison d'État, tout converge pour investir la puissance publique d'une mission toujours plus impérieuse et plus étendue. C'est la fin de la neutralité et

de l'abstention de l'État. De cette évolution — disons mieux, de ce renversement de tendance —, nous avons relevé les symptômes et les conséquences : alourdissement de l'appareil administratif, croissance du budget.

Un des effets les plus significatifs de ce transfert de responsabilités est le déplacement de la frontière entre le privé et le public, en relation avec une socialisation de plus en plus grande, un accroissement de la part des activités et des équipements collectifs dans la vie des sociétés contemporaines. Nombre d'activités, qui relevaient jadis exclusivement de l'initiative privée, sont passées, peu ou prou, dans la mouvance de la puissance publique. Mais, contrairement à ce que pourrait laisser croire une présentation nécessairement simplifiée et fortement systématisée de cette évolution, elle ne s'est pas opérée selon un dessin rectiligne : elle ne s'est pas non plus produite sans débats ni résistances. L'histoire du développement de l'institution scolaire est en grande partie celle des controverses sur le droit du père de famille et la liberté de l'enseignement. L'intervention de l'État dans le domaine de la santé n'est pas davantage allée sans controverses, certains déniant aux pouvoirs publics le droit d'imposer une médecine officielle, la pastorienne, en rendant obligatoires les vaccinations. Quant aux débats autour de l'économie entre dirigisme et libre entreprise, ils ont dominé la vie politique. Même les résultats qui pouvaient paraître les plus irréversibles sont parfois remis en question.

Plutôt qu'une évolution linéaire dans le sens d'un accroissement indéfini du rôle de l'État, il semble qu'un schéma alternatif rende mieux compte de la réalité historique dans la longue durée. Nous avons vu le coup d'arrêt donné par la révolution libérale de 89 aux empiètements de l'État. La progression quasi ininterrompue de ses prérogatives depuis le début de ce siècle paraît aujourd'hui de nouveau menacée et discutée. L'État n'est pas aimé (où et quand l'a-t-il jamais été, si ce n'est dans les régimes où l'idéologie officielle en fait un absolu?) : il est naturellement impopulaire, et même quand on continue de lui demander beaucoup et d'attendre qu'il réponde à toute sorte de besoins, on regimbe contre les contraintes qu'il impose, les incommodités qui accompagnent son intervention, les tracasseries de son administration, la lourdeur et l'impersonnalité de sa tutelle : la discordance entre ses prétentions et ses résultats, entre ce qu'on attend de lui et ce qu'il donne, alimente les critiques et la nostalgie d'un système où son rôle diminuerait. Dans le balancement qui rythme les inclinations des peuples et les orientations idéologiques entre l'espérance et la critique de l'initiative publique, nous sommes sans doute entrés dans une phase de retrait. Les idéologies et les utopies contemporaines qui ont la faveur de l'esprit public ont presque toutes en partage une aspiration à l'émancipation des petites communautés et au dépérissement de l'État. La critique marxiste du pouvoir d'État dont elle dénonce l'accaparement par la classe dominante, l'aspiration des communautés régionales à recouvrer personnalité et autonomie nourrissent l'hostilité à l'encontre de l'État. La fortune d'un mot et d'une notion comme l'autogestion dans tous les domaines — économie, administration locale, éducation, culture, religion — est, à cet égard, fort significative : elle témoigne du réveil de tendances profondes qui connaissent un regain périodique d'actualité. En ira-t-il de cette résurgence comme des précédentes qui se sont à peu près toutes soldées par un accroissement du pouvoir? En d'autres termes, les sociétés contemporaines peuvent-elles se passer d'un État puissant et comment peuvent-elles éviter que les évolutions, technologiques ou intellectuelles, comme les révolutions — politiques, sociales, économiques — , ne tournent finalement au renforcement de l'autorité et de la contrainte?

5

Mouvement ouvrier
syndicalisme et socialisme

Après le mouvement libéral qui a entraîné l'évolution politique et sociale de l'Europe et défini une forme de régime et un type de société, après l'idée démocratique dont nous avons vu les prolongements et les applications, nous abordons la phase qui se réclame du socialisme.

L'âge libéral correspond grossièrement à la première moitié du XIXe siècle. La belle époque de la démocratie débute vers 1848 et s'étend au moins jusqu'au lendemain de la Première Guerre mondiale. La poussée socialiste se situe plus tard encore et ne se manifeste que dans le dernier quart du siècle. C'est donc bien un ordre de succession qui coïncide avec l'ordre logique.

Des trois mouvements successifs, c'est certainement le dernier qui requiert le plus la confrontation permanente de l'histoire politique et de l'histoire sociale puisque, pour le mouvement ouvrier et le socialisme, politique et social interfèrent étroitement. La réalité que nous allons examiner appartient conjointement à l'histoire des mouvements politiques et à l'histoire de la société. Les appellations mêmes soulignent l'osmose entre le politique et le social : on emploie concurremment l'expression de mouvement ouvrier qui met l'accent sur la référence sociologique et celle de socialisme qui désigne une inspiration philosophique, les deux étant étroitement imbriqués.

Alors qu'on pouvait étudier le libéralisme et la démocratie de deux points de vue différents, celui des idées et celui des assises sociales, de la clientèle, les deux points de vue ménageant sur la réalité considérée des représentations distinctes et complémentaires, quand il s'agit du socialisme, l'approche sociologique s'impose impérieusement.

La première donnée est, en effet, la rencontre qui s'est produite au XIXe siècle entre deux réalités de nature différente : entre le socialisme, d'une part, doctrine de vie politique et sociale, qui engendre des écoles, des organisations, des partis en vue d'une action de transformation politique qui relève de l'histoire dite politique, et d'autre part, un phénomène qui intéresse essentiellement l'histoire de la société, la formation d'une catégorie sociale, la classe ouvrière qui s'organise en mouvement pour la défense de ses intérêts, la satisfaction de ses revendications professionnelles.

C'est la conjonction de ces deux réalités qui fait la singularité et l'importance de ce chapitre de l'histoire générale.

On n'est que trop tenté de raconter l'histoire après coup comme si elle avait obéi à une logique imperturbable, à une implacable nécessité ; on refait alors l'histoire du mouvement ouvrier comme s'il avait dû de toute éternité emprunter au socialisme son inspiration, on réécrit l'histoire du socialisme comme s'il allait de soi qu'il fût l'expression philosophique, idéologique de la classe ouvrière. Il n'est pas démontré que cette conjonction ait été inéluctable.

Au reste, à scruter de plus près les commencements de l'un et de l'autre, on découvre qu'ils ont eu chacun leur propre histoire avant de se rencontrer.

Les origines du socialisme sont bien antérieures à la révolution industrielle. L'intuition première, l'inspiration initiale du socialisme ne doit même rien au prolétariat, au sens moderne du terme, puisqu'elle s'est d'abord élaborée à propos des problèmes agraires dans des sociétés rurales. La revendication de l'égalité, la formule du partage se sont appliquées en premier lieu à la propriété de la terre. Babeuf ne songeait pas à un socialisme industriel et si le *Manifeste des Égaux* parle du partage des fruits, il s'agit des fruits du travail de la terre, et non du travail industriel.

Ce n'est pas seulement sa préhistoire qui révèle que le socialisme peut être autre chose qu'un industrialisme, c'est aussi le présent le plus contemporain. Où le socialisme trouve-t-il aujourd'hui un nouveau terrain, où prend-il un nouvel essor? Dans les pays sous-développés où l'agriculture est prédominante, telle l'Amérique latine. Le socialisme africain se réfère aux traditions ancestrales de l'Afrique Noire et la plupart des régimes de l'Afrique Noire se proposent de concilier le socialisme moderne avec le passé traditionnel des villages africains. L'originalité du communisme chinois, qui est un des éléments de son dissentiment avec l'interprétation soviétique du marxisme-léninisme, est que la Chine attache à la question agraire une plus grande importance que le socialisme soviétique.

Ainsi le passé comme le présent montrent que le socialisme ne se réduit pas à la philosophie des sociétés industrielles, qu'il peut y avoir — qu'il y a eu — un socialisme des sociétés rurales.

Réciproquement, le mouvement ouvrier aurait pu emprunter son inspiration à d'autres doctrines. Au reste, à la fin du XVIIIe siècle en Angleterre, les premières réactions de défense ouvrière ne se réclament pas d'une pensée socialiste. Tournées vers le passé, elles demandent le rétablissement de la réglementation des XVIe et XVIIe siècles, la remise en vigueur du statut des artificiers qui est une charte corporative. En France, l'élite ouvrière des compagnons regarde aussi vers le passé qui lui apparaît, avec le recul du temps, comme un âge d'or, par réaction contre l'individualisme libéral et la concurrence issue de la Révolution. En Allemagne se sont développées des associations ouvrières, généralement d'inspiration confessionnelle, qui ne demandent pas davantage au socialisme la réponse à leurs difficultés. Non plus que le mouvement Kolping Familie — du nom de l'ecclésiastique qui l'a fondé — qui connut une grande extension. (La France connaîtra quelque chose d'un peu comparable, mais sur une échelle plus réduite, avec les cercles catholiques d'ouvriers créés par Albert de Mun au lendemain de la Commune.) Le mouvement chartiste qui fit tant de bruit dans l'Angleterre victorienne entre 1836 et 1849, n'est pas socialiste mais démocrate, et espère, de la réalisation de la démocratie politique intégrale, la solution de la question sociale.

Ces rappels soulignent le caractère relativement fortuit de la rencontre qui s'est produite au XIXe siècle entre le mouvement ouvrier et le socialisme.

Il reste — et c'est l'essentiel — que la rencontre a eu lieu. Le socialisme s'est peu à peu imprégné des préoccupations de la classe ouvrière, il a fait siennes ses revendications, leur cherche une solution, et c'est sur elle qu'il prend surtout appui. C'est dans le prolétariat des ouvriers d'industrie que les écoles et les partis, qui se réclament du socialisme, recrutent leurs cadres, leurs adhérents. En retour, le mouvement ouvrier doit au socialisme, à partir de dates qui varient selon les pays, l'essentiel de son inspiration, le ressort de son action, sa vision du monde — toute action, même professionnelle, ayant besoin de s'inscrire dans une perspective d'ensemble. Il emprunte encore au socialisme sa stratégie, sa méthode, son vocabulaire et ses thèmes moteurs.

Pour retracer l'histoire de cette rencontre, il faut partir du soubassement, c'est-à-dire de la formation d'une nouvelle catégorie sociale issue de la révolution industrielle. Nous examinerons ensuite cette classe nouvelle et la condition qui lui est faite, les problèmes inédits qu'elle soulève — ce qu'on appelle au XIXe siècle « la question sociale », — et enfin, nous verrons la réponse que propose le socialisme, l'essor de cette idéologie et des organisations inspirées par elle.

1. La révolution industrielle
et la condition ouvrière

Ses composantes.

Cette révolution industrielle qui a pris naissance en Angleterre au XVIIIᵉ siècle et se propage au XIXᵉ siècle sur le continent, en France, en Belgique, en Allemagne de l'Ouest, dans le Nord de l'Italie et en certains points de la péninsule ibérique, repose sur l'utilisation d'une nouvelle source d'énergie, le charbon, et l'essor du machinisme à la suite d'inventions qui modifient les techniques de fabrication. La conjonction des deux, l'application de cette énergie nouvelle au machinisme, constitue l'origine de la révolution industrielle dont la machine à vapeur est le symbole.

Ses conséquences.

Cette révolution entraîne des modifications de plusieurs ordres. D'une part, le travail humain, le rapport de l'homme avec son travail en sont profondément affectés. Il n'y a pas toujours, comme une version idéalisée le donne à penser, un allégement de la peine des hommes. Dans un premier temps, le travail industriel est au XIXᵉ siècle plus pénible qu'avant.

La révolution industrielle modifie également les rapports des hommes entre eux. Le machinisme introduit, en effet, dans les structures traditionnelles le bouleversement de la carte de l'industrie qui désormais se regroupe — ou se développe — autour des sources d'énergie ou de matières premières, à proximité des villes, car elle a besoin d'une main-d'œuvre nombreuse. La concentration géographique et humaine précipite la conjonction entre le phénomène urbain et l'activité proprement industrielle.

Cette main-d'œuvre vient généralement de la campagne. Ici se rejoignent deux phénomènes que l'on étudie souvent séparément : la croissance de l'industrie avec la concentration de la main-d'œuvre autour des manufactures, usines, mines, et l'exode rural qui vide progressivement les campagnes de la population qui les congestionnait.

Ces ouvriers d'origine rurale qui vont former les bataillons de l'industrie nouvelle, qui peuplent les manufactures, les ateliers, ne sont pourtant pas les héritiers directs des compagnons du Moyen Age ou des artisans des corporations : ils constituent une classe entièrement nouvelle, une réalité sociale originale, même si les contemporains n'ont pas tous eu une conscience exacte du phénomène.

En même temps que surgit une classe nouvelle, les rapports entre les groupes se modifient, de proche en proche et comme par cercles concentriques, s'étendent les effets, directs ou induits, de l'industrialisation.

La croissance des unités industrielles supposant la disposition de capitaux, on voit surgir une catégorie relativement nouvelle aussi, celle des chefs d'industrie, des entrepreneurs, qui disposent de capitaux ou en empruntent. Mais, tandis qu'entre le patron de l'Ancien Régime et ses compagnons, l'écart n'était pas insurmontable, entre les nouveaux patrons et les nouveaux ouvriers le fossé ne cesse de se creuser. La disparité des genres de vie, l'inégalité des ressources aboutissent à créer comme deux humanités différentes : d'une part, le capitalisme, industriel, financier, bancaire, favorisé par des dispositions législatives telle en France la loi de 1867 sur les sociétés anonymes, et d'autre part, une masse salariée qui n'a pour elle que sa capacité de travail physique, qui n'a ni réserves ni ressources, main-d'œuvre non qualifiée, venue en droite ligne de la campagne en quête de travail, et qui doit s'accommoder du premier qu'elle trouve. Entre ces deux groupes, la dissociation s'accentue, et gagne tous les aspects de la vie sociale, car ce n'est pas seulement à l'intérieur de l'usine que ces deux groupes se différencient, mais encore par l'accès à l'instruction, la participation à la vie politique, l'habitat. Une forme de ségrégation sociologique apparaît au XIXe siècle que ne connaissaient pas les villes d'autrefois qui rassemblaient sur le même espace les gens de toutes conditions, quelquefois même dans les mêmes maisons. Avec l'extension des villes, on distingue les beaux quartiers des quartiers ouvriers, faubourgs, banlieues, dans toutes les grandes agglomérations de l'Europe occidentale ou centrale.

Il y a donc désormais deux populations face à face qui ne se rencontrent — et encore! — qu'à l'occasion du travail et n'ont de rapport que de commandement ou de subordination. Elles pourraient s'ignorer, mais assez vite, elles passent de la dissociation à l'antagonisme. Leurs intérêts sont contraires et le libéralisme concourt à les opposer. L'intérêt des patrons est évidemment d'abaisser les salaires, celui des travailleurs, de les défendre, faute de pouvoir obtenir des augmentations, la concurrence qui oppose les entrepreneurs entre eux jouant au détriment des salariés. Elle oppose les salariés entre eux du fait de l'absence d'accords ou de conventions, et le chômage, qui met à la disposition du patronat une armée de réserve où puiser de quoi remplacer d'éventuels grévistes, aggrave encore la dépendance des travailleurs.

Voilà l'enchaînement de causes et de conséquences qui conduit de l'utilisation de la houille et de l'introduction du machinisme à la constitution de deux catégories sociales antagonistes. Du technique au sociologique en passant par l'économique, à travers ces plans successifs, on peut recons-

tituer ainsi une des principales transformations de la société
moderne. Elle n'affecte d'abord que des régions limitées
tels les grands centres industriels britanniques dès la fin
du XVIIIe siècle, la France, sous la monarchie constitutionnelle, et dans la seconde moitié du siècle d'autres parties
de l'Europe, et encore à l'état sporadique, car il faut se garder d'anticiper pour l'industrialisation. Pour ne prendre
que l'exemple de la France, la carte des régions industrielles
est étroitement localisée à quelques départements : la Loire,
avec les mines de charbon, la manufacture d'armes de Saint-
Étienne et le textile, y occupe une des premières places,
la haute Alsace, autour de Mulhouse, le Nord, bien que
l'essor des bassins charbonniers y soit postérieur, Rouen,
qui est une grande ville industrielle, le centre de fabrication
de toiles de tissage, et Paris. C'est à peu près tout dans les
années 1830-1850. Avec le second Empire, l'industrialisation gagnera d'autres régions.

Les conditions de travail sont les plus dures qui soient,
en l'absence de toute limitation de durée. On travaille aussi
longtemps que l'éclairage ou la lumière du jour le permet,
soit jusqu'à quinze ou seize heures par jour. Jamais de repos,
pas même le dimanche, la suppression de la plupart des
fêtes religieuses, chômées sous l'Ancien Régime, réduisant
encore les possibilités de repos des travailleurs. Sur le plan
religieux, la continuité du travail, mettant les ouvriers dans
l'impossibilité de pratiquer et d'observer les commandements, a contribué à la déchristianisation.

Il n'y a pas davantage de limitation d'âge. Les enfants
sont astreints à travailler dès leur plus jeune âge et les
plus âgés n'ont pas de retraite. Ceci est conforme aux
maximes du libéralisme qui veut que la liberté de l'offre
et de la demande ne soit entravée par aucune réglementation
contraignante. Ce qui du reste n'empêche pas l'existence
dans les manufactures de règlements disciplinaires d'ateliers

qui sanctionnent l'infraction aux interdictions par des rete-
nues, des amendes qui aggravent encore la situation matérielle, pourtant précaire si l'on considère l'insalubrité des
locaux, l'insécurité du travail.

Ces conditions de travail sont aggravées par les conditions d'habitat. Les travailleurs en sont réduits à se contenter
des locaux que leur abandonne la population, dont l'équivalent actuel serait les bidonvilles. Ainsi, il y a une centaine
d'années, les paysans arrivant de leur campagne connaissaient une situation voisine de celle des Nord-Africains ou
des Portugais dans l'Europe industrielle d'aujourd'hui.

Enfin, les salaires sont d'autant plus bas qu'il n'y a
aucune réglementation, aucune fixation de salaire, et qu'il
y a à la porte des usines une masse sans travail, prête à
accepter n'importe quelles conditions.

De fait, au xixe siècle, la condition ouvrière s'est trouvée
aggravée par deux faits indépendants de la révolution
industrielle, de l'égoïsme des possédants ou de l'inorganisation
des exploités et qui sont, d'une part, une phase de dépression
économique et d'autre part, la poussée démographique.
La rencontre de ces phénomènes avec la révolution industrielle a fait de la condition ouvrière au xixe siècle quelque
chose d'épouvantable.

En effet au lendemain des guerres de l'Empire, l'Europe
entre dans une de ces phases de dépression économique qui
se reproduisent périodiquement et qui durera jusqu'en 1851,
soit plus d'un tiers de siècle. La demande diminue au moment
même où la capacité de production augmente. Les entreprises se disputent un marché en voie de réduction, essaient
de comprimer le prix de revient et font donc tout pour réduire
encore la part de la rémunération salariale. La dépression
se répercute ainsi sur le revenu des travailleurs.

Du fait de la révolution démographique qui s'amorçait
au xviiie siècle, l'Europe connaît par ailleurs une poussée

démographique rapide. La situation fait penser à celle de nombreux pays en voie de développement aujourd'hui : ce n'est pas le seul cas où la comparaison, à un siècle d'intervalle, entre l'Europe de la première moitié du XIXe siècle et l'Amérique latine, l'Afrique Noire ou l'Asie d'aujourd'hui, est éclairante. Les données ne sont pas identiques, mais les tendances sont analogues et nous aident à comprendre les causes et certains aspects de l'évolution de l'Europe au début de la révolution industrielle. La poussée démographique multipliant le nombre des travailleurs disponibles, alors que le machinisme réduit les besoins, multiplie les chômeurs virtuels, ce que Marx appelle « l'armée de réserve du prolétariat ». Avec la menace du chômage technologique — ou technique — tout se ligue contre les travailleurs.

Ainsi des facteurs proprement économiques et démographiques, indépendants du régime juridique et même des intentions des parties prenantes, contribuent à aggraver la condition ouvrière au XIXe siècle. Le paupérisme, grand fait social — on en trouve la trace dans la littérature de l'époque, des *Misérables* aux romans de Dickens —, s'impose comme une évidence à l'attention. Présent dans toutes les grandes agglomérations industrielles, il inspire une législation (les lois sur les pauvres en Angleterre), suscite un mouvement de pitié et de sympathie, des œuvres philanthropiques, les conférences de Saint-Vincent-de-Paul, le romantisme du misérabilisme.

Cette évocation de la condition ouvrière est utile, non seulement pour comprendre les prémices du mouvement ouvrier mais encore son orientation actuelle. Resté vivant dans la mémoire collective du syndicalisme ouvrier, ce passé aide à comprendre une certaine psychologie ouvrière faite d'amour-propre blessé, de dignité bafouée, de défiance et de ressentiment. Pareils souvenirs expliquent que le mouvement ouvrier ne croie qu'à la lutte pour améliorer sa situation, ne mette sa confiance que dans le retour au combat et se tourne naturellement vers des philosophies de lutte de classes, qui lui proposent l'espérance d'une libération.

2. Le mouvement ouvrier

Le passage de la classe au mouvement implique une prise de conscience de cette condition ouvrière et un effort d'organisation.

La naissance du mouvement ouvrier se heurte à des obstacles qui vont la retarder ou l'entraver et en premier lieu à des obstacles juridiques et politiques.

A cet égard, il faut rappeler, pour mémoire, l'ordre social issu de la Révolution française qui freine l'organisation d'un mouvement ouvrier.

La doctrine qui prévaut, celle qui est enseignée dans les écoles de Droit, qui inspire parlements et gouvernements, est le libéralisme, qui a pour principe de laisser jouer librement l'initiative individuelle. L'État devant rester neutre, il ne peut intervenir que pour rétablir la balance égale entre les acteurs économiques et laisser fonctionner l'économie de marché, contre les individus ou les groupements qui en fausseraient le libre jeu.

Ainsi, la législation a prononcé la dissolution de toutes les associations, corporations, jurandes, maîtrises, et pris des dispositions contre leur éventuelle reconstitution. Pourtant, si la loi Le Chapelier (1791) était dirigée tant contre les associations ouvrières que patronales, dans la pratique elle joue contre les employés car il est relativement facile à quelques entrepreneurs de se concerter, officieusement, alors que les travailleurs n'ont la possibilité d'organiser leur défense que dans le cadre d'une association.

Les travailleurs ne peuvent ni former d'associations ni se coaliser, termes qu'il ne faut pas confondre car l'association est durable tandis que la coalition peut être temporaire. Au regard des codes la coalition est un délit passible de peines de prison ou d'amendes. Ainsi, en 1834, six journaliers de Dorchester sont poursuivis et punis de plusieurs années de prison pour avoir essayé de se grouper. La grève, considérée comme une entrave à la liberté du travail, relève également des tribunaux. En plusieurs pays, le Code prévoit qu'en cas de conflit l'employeur est cru sur parole tandis que l'employé doit faire la preuve de ses dires. L'institution du livret ouvrier, la surveillance à l'intérieur des entreprises dans lesquelles un personnel de contremaîtres fait respecter les règlements, tout cela constitue un ensemble de dispositions législatives et réglementaires qui retarde la constitution du mouvement ouvrier.

Au reste, même avec une autre législation, les réactions de défense auraient été lentes pour une raison sociologique qui tient au fait que la classe ouvrière est une classe nouvelle, sans traditions de lutte ni expérience du combat, formée d'individus déracinés de leur milieu naturel, précipités dans un monde inconnu et hostile, habitués à subir avec résignation les famines, les intempéries, les coups du sort. Mis au travail dès l'âge de quatre ou cinq ans, ils sont illettrés, sans cadres ni élite et ne connaissent pas les loisirs qui auraient permis la conversation, la discussion. Ce n'est pas dans de telles conditions qu'on peut mettre sur pied une grève ou une lutte revendicative.

Aussi n'est-ce pas de ces éléments que va naître le mouvement ouvrier, mais des artisans et des compagnons qui composent une sorte d'aristocratie du travail qui va constituer l'avant-garde et jeter les bases du mouvement ouvrier.

Ce sont eux les précurseurs, les promoteurs du mouvement ouvrier que la masse rejoindra peu à peu, mais tardivement. On le voit bien en Grande-Bretagne où l'on distingue le vieil et le nouvel unionisme. C'est seulement dans les années 1880-1890 que les nouvelles catégories sociales, sans expérience, ni instruction (mineurs, dockers, gaziers) entrent dans le syndicalisme.

La conquête des droits.

Le premier objectif du mouvement ouvrier naissant est naturellement d'obtenir une modification de la législation, qui lui permette de sortir de la clandestinité et de s'organiser ouvertement; c'est donc une lutte pour la conquête de l'égalité juridique. Peu à peu, le mouvement ouvrier arrachera des dispositions qui autorisent un début d'organisation à la faveur des changements de régime, ou encore grâce au concours des partis intéressés à gagner les suffrages ouvriers à mesure que le droit de vote s'élargit.

Comme elle avait été la première à s'industrialiser, la Grande-Bretagne est la première à reconnaître la liberté d'association et de coalition (1824), mais l'année suivante le Parlement reviendra en partie sur ces dispositions jugées alors trop libérales. Un demi-siècle plus tard, en 1875, Gladstone accordera aux trade-unions une reconnaissance de plein droit avec le vote de la loi dite Patron et ouvrier qui remplace la vieille loi dite Maître et serviteur de 1715. Il restera encore aux trade-unions des batailles à livrer pour conquérir la plénitude des droits. C'est de cette nécessité que sortira, en 1893-1894, la fondation d'un petit parti travailliste indépendant, ancêtre du grand parti travailliste, qui présentera et fera élire, pour la première fois, des candidats aux élections de 1906. En effet, les trade-unions, conscientes de ne pouvoir attendre de la seule bonne volonté des partis le vote des dispositions qu'elles souhaitent, décident de s'engager dans le jeu politique.

En France, l'émancipation s'est faite en deux étapes. Deux régimes aussi différents que possible y ont concouru. Le second Empire d'abord par une décision personnelle de Napoléon III dont la pensée comportait un aspect humanitaire vaguement teinté de socialisme. En outre, il était conforme à l'orientation permanente du bonapartisme de, s'appuyer sur les masses contre les classes dirigeantes et d'accorder au peuple un certain nombre de satisfactions. En 1864, une loi autorise grèves et coalitions qui cessent d'être un délit, la grève ne relevant des tribunaux que si elle s'accompagne de violences, d'atteintes à la liberté du travail. S'il n'accorde pas encore le droit d'association, le régime en 1867 reconnaît un statut légal aux coopératives. En 1868, c'est l'abolition du fameux article du Code, si discriminatoire. Le bilan du second Empire est donc nettement positif. La troisième République va élargir le statut avec le vote en 1884 de la loi Waldeck-Rousseau, du nom du ministre de l'Intérieur, qui reconnaît la liberté syndicale. Ainsi la liberté syndicale précède la liberté d'association puisqu'il faudra attendre 1901 pour que toute association obtienne le droit de se constituer. En 1884, il ne s'agit encore que d'un type déterminé d'associations : les associations professionnelles, tant rurales qu'ouvrières, le syndicalisme agricole se développant à partir de cette loi de 1884 autant que le syndicalisme ouvrier.

La classe ouvrière profite de ces conquêtes légales pour s'organiser. C'est l'essor du mouvement syndical, des trade-unions en Angleterre, en France des Bourses du travail qui se fédèrent autour de 1890, des syndicats qui se regroupent en 1895 dans une Confédération générale du travail, la première grande centrale syndicale française.

La pluralité des objectifs étant un trait général et constant de l'histoire du mouvement ouvrier, il présente deux branches parallèles dont l'une est le syndicalisme, mouvement proprement professionnel, l'autre est politique, avec l'apparition de partis ouvriers, généralement d'inspiration socialiste.

Le mouvement ouvrier à forme syndicale s'est toujours proposé concurremment plusieurs objectifs : un premier objectif immédiat, qui justifie son existence aux yeux de ses mandants, vise à améliorer la condition matérielle, à obtenir la satisfaction des revendications qui concernent la stabilité de l'emploi, la durée du travail, les conditions d'hygiène, de sécurité, le montant des rémunérations, en un mot, tout ce qui concerne le travail. Pour y parvenir, le mouvement emploiera des moyens divers. Ses préférences vont, selon les moments, à des moyens violents ou à des méthodes plus conciliantes. Mais la classe ouvrière doit ces améliorations autant, sinon même davantage, à l'initiative législative, aux partis politiques, la législation sociale étant de façon très habituelle la résultante du combat ouvrier et de l'initiative des pouvoirs publics.

Peu à peu s'ébauche une réglementation qui entame l'ordre libéral. Les premières dispositions limitent la durée du travail des femmes et des enfants auxquels certains types d'activités sont interdits en raison de leur insécurité, de leur insalubrité, ou de leur dureté. On fixe un âge minimum au-dessous duquel on n'a pas le droit d'employer les enfants : huit, dix ans selon les cas. Puis, par extension, ces restrictions sont appliquées à tous les établissements qui emploient une main-d'œuvre mixte, enfantine et adulte, ou masculine et féminine. C'est par ce biais que s'étend le champ d'application de la législation.

Parallèlement est élaboré un ensemble de mesures protectrices contre les risques sociaux : assurances contre les accidents du travail, contre la maladie, et même, dans les pays où la conscience sociale est en avance, des systèmes de retraite. Tous ces systèmes se développent vers la fin du XIXᵉ siècle, en Grande-Bretagne vers 1890-1910, en France dans les toutes premières années du XXᵉ siècle. L'entrée de Millerand dans le gouvernement Waldeck-Rousseau en 1899 y contribue de façon décisive. En 1906 c'est la création du ministère du Travail.

L'Allemagne, qui a devancé la France de près d'un quart de siècle grâce à l'initiative de Bismarck, dispose, dès 1880-1885, d'un système fort complet de protection sociale. Un système s'édifie ainsi qui s'éloigne de plus en plus des principes du libéralisme, un droit social s'élabore dont l'application est contrôlée par des corps d'inspection qui ont pour mission de veiller à ce que la législation ne reste pas lettre morte.

Mais le mouvement ouvrier, même en Angleterre où il a un caractère plus pragmatique, n'a pas borné ses objectifs à cet aspect matériel, revendicatif, immédiat. Tous les mouvements sociaux, et la plupart des groupes de pression, visent, au-delà de leur objectif immédiat, des buts plus lointains. A plus forte raison, le mouvement ouvrier qui tirait de sa situation et du climat de religiosité, d'utopie du XIXᵉ siècle, toute une philosophie sociale et politique qui est vivante aujourd'hui encore dans les organisations ouvrières.

Le second objectif est plus vaste, plus général : il s'agit de transformer la société, de préparer l'avènement d'un ordre social plus juste, pour l'ensemble de la société. C'est le messianisme de la classe ouvrière, convaincue de souffrir et de travailler pour l'humanité entière, et pas seulement pour la satisfaction de ses propres revendications délimitées.

Dans tous les textes constitutifs du mouvement ouvrier, on trouve cette dualité d'objectifs comme en témoigne une citation empruntée à un texte du congrès confédéral de la

CGT, qui s'est tenu à Amiens en 1906, dit « charte d'Amiens ».

Sa portée s'éclaircit si l'on sait que le vote survient un an après l'unification du socialisme en France; c'est en 1905 en effet que, pour la première fois, les différentes écoles socialistes, mettant une sourdine à leurs dissensions, acceptent de s'unifier dans une organisation qui exerce, de ce fait, une attraction plus forte sur les travailleurs. Les responsables des organisations syndicales ont donc lieu de craindre, en 1906, que l'unité socialiste ne détourne les énergies du combat syndical ouvrier, au bénéfice d'une lutte proprement politique. Le vote de la charte d'Amiens est une réponse, une riposte à l'unification socialiste, une mise en garde qui rappelle que le syndicat conserve sa raison d'être, car son objectif ne se borne pas à des revendications matérielles. Aujourd'hui encore, la vieille CGT comme la CGT dissidente Force ouvrière continuent de considérer, même si leur pratique s'en écarte notablement, que la charte d'Amiens reste la règle de leur action.

« Le Congrès précise, par les points suivants, l'affirmation théorique selon laquelle il reconnaît la lutte de classes. Dans l'œuvre revendicatrice quotidienne le syndicalisme poursuit la coordination des efforts ouvriers, l'accroissement du mieux-être des travailleurs par la réalisation de l'amélioration immédiate » [grâce à la diminution des heures de travail, l'augmentation des salaires, etc.].

« Mais cette besogne n'est qu'un côté de l'œuvre du syndicalisme : il prépare l'émancipation intégrale qui ne peut se réaliser que par l'expropriation capitaliste. Il préconise, comme moyen d'action, la grève générale, et il considère que le syndicat, aujourd'hui groupement de résistance, sera dans l'avenir, le groupement de production et de répartition, base de réorganisation sociale. »

Voilà énoncés deux objectifs différents par leur nature et leur échéance. La fonction du syndicat n'est donc pas seulement de lutter et de combattre mais encore de préparer les structures de la société future. Le syndicat constitue l'embryon, la cellule autour de laquelle s'ordonnera la société de demain et qui pourra remplacer toutes les institutions, y compris l'État. Cette définition de son rôle est en relation avec l'anarcho-syndicalisme, philosophie qui inspire le mouvement ouvrier au tournant du siècle, qui est un mélange de confiance dans les vertus de l'organisation ouvrière et de refus de tout ordre politique. L'anarcho-syndicalisme rejette en bloc la propriété, l'État, l'armée, la police, la religion, et s'imagine pouvoir reconstruire la société sur le syndicat seul.

En 1906, la CGT est entre les mains d'hommes dont la plupart se réfèrent à cette idéologie. Il faut se souvenir que l'on n'est pas éloigné de la période où l'anarchisme a été une force, entre 1870 et 1900. L'idéal anarchiste exerce une vive attirance sur les intellectuels et sur beaucoup de militants ouvriers et la tentation d'une contestation générale et d'une reconstruction totale est grande. En Russie, le mouvement nihiliste attire nombre de jeunes intellectuels et d'étudiants avant que le socialisme le supplante. C'est aussi l'époque où une poignée d'anarchistes recourent à la propagande par le fait, c'est-à-dire l'attentat; plusieurs chefs d'État en sont victimes dont le président McKinley aux États-Unis, le président Sadi Carnot en France, le roi Humbert d'Italie et l'impératrice Élisabeth d'Autriche.

Comment le mouvement ouvrier va-t-il combattre la société établie et préparer l'avènement de la suivante? A cette question, deux réponses sont concevables auxquelles correspondent les deux tendances que j'indiquais : l'action professionnelle ouvrière et l'action politique, le syndicat et le parti.

Entre 1860 et 1900, c'est dans l'action professionnelle que s'engage d'abord une partie de l'aristocratie ouvrière.

C'est la voie que Proudhon leur conseille, celle qui inspire en 1864 le *Manifeste des soixante* et qui préside encore à l'essor du syndicalisme dans les années 1890-1900. Les ouvriers ne doivent compter que sur eux-mêmes, ne faire aucune confiance à une représentation parlementaire bourgeoise et mettre tous leurs espoirs dans leur propre action, leurs propres groupements. Le syndicat ou la coopérative seront les instruments de la transformation de la société, le syndicat constituant un organisme de lutte et de revendication, la coopérative — surtout de production — étant déjà l'ébauche de l'économie future puisque les ouvriers s'y passent des capitaux; abolissant ainsi l'opposition entre le capital et le salariat, les ouvriers sont leurs propres patrons. La première de toutes les coopératives, fondée en Angleterre à Rochester en 1844, porte le nom étrange d' « Équitables pionniers ». La formule coopérative ne connaîtra un véritable succès que dans quelques pays, notamment en Scandinavie. En France, elle n'a jamais eu qu'une audience limitée. Mais elle est significative de la volonté de se suffire et de se passer des autres.

3. Le socialisme

La seconde voie est politique. Ceux qui s'y engagent estiment nécessaire de mettre dans leur jeu d'autres atouts que l'organisation professionnelle et la grève et jugent qu'il n'est pas possible d'ignorer l'État. C'est un des points de divergence entre les deux branches, au moins au XIXᵉ siècle, car au XXᵉ siècle, le problème se pose en termes différents dans la mesure où le syndicalisme a reconnu le fait politique et consent à collaborer avec lui. Au XIXᵉ siècle, le dilemme se présente entre un syndicalisme qui ne connaît les institutions politiques que pour les combattre, et une action politique conduite, par la force des choses, à prendre en considération l'existence de la société politique.

La branche politique s'identifiera assez vite au socialisme. Nous retrouvons la conjonction entre le phénomène social — la naissance d'une classe nouvelle, la classe ouvrière — et le développement d'une pensée, d'une philosophie — le socialisme. Les contacts se multiplieront entre le mouvement ouvrier et l'idée socialiste.

Les sources du socialisme.

Si nous laissons de côté la première période de son histoire où il est plus agraire qu'industriel, le socialisme moderne, tel que nous le connaissons, veut être la réponse aux problèmes nés de la révolution industrielle.

A l'origine, la réflexion des fondateurs d'écoles socialistes a été suscitée par deux conséquences essentielles de la révolution industrielle. Principalement par la misère des travailleurs et la dureté de la condition ouvrière à quoi font écho les témoignages, la littérature, le roman populaire, ou les enquêtes officielles, telle celle ordonnée par l'Académie des sciences morales et politiques autour de 1840 et à laquelle Villermé a attaché son nom. Au spectacle de cette misère massive, saisissante, du paupérisme, certains se demandent si un régime économique qui engendre pareilles conséquences est acceptable, et en viennent à remettre en cause l'initiative, la concurrence, la propriété privée, postulats sur lesquels est fondée l'économie libérale du XIXe siècle. Les fondateurs de l'école socialiste sont également alertés par la fréquence des crises, qui constituent à vrai dire un phénomène plus économique que social. Le XIXe siècle a, en effet, connu des crises périodiques qui, tous les neuf ou dix ans, viennent brusquement interrompre l'essor de l'économie, entraînant le chômage, des fermetures d'entreprises, un gaspillage considérable de richesses. D'autres esprits, ou les mêmes, s'interrogent sur la rentabilité et l'efficacité du système. Comment soutenir que ce régime est le meilleur, alors que son développement se paie d'autant de ratés et de temps morts? N'y a-t-il pas vraiment moyen d'organiser l'économie de telle sorte qu'on puisse supprimer ces accidents chroniques qui, tous les dix ans, la font régresser?

Il y a ainsi au principe du socialisme une double protestation, de révolte morale contre les conséquences sociales et d'indignation rationnelle contre l'illogisme des crises. Les penseurs socialistes tentent donc de répondre à cette double inquiétude. Les deux démarches aboutissent à la même critique du postulat du régime libéral, selon lequel il faut laisser une totale liberté à l'initiative individuelle.

Le premier sens du mot socialisme est une réaction contre l'individualisme. Plutôt que de laisser à l'individu toute licence, le socialisme le subordonne à l'intérêt et aux besoins du groupe social. L'accent se déplace de l'individu à la société. Le socialisme fait donc la critique du libéralisme individualiste et plus précisément, car ce lui semble être la racine du régime, de la propriété privée des moyens de production, des mines, de l'outillage, des machines, de la terre, l'appropriation individuelle permettant au possesseur d'exercer une domination sur autrui, notamment sur les travailleurs.

De son point de départ, critique, le socialisme passe à la construction d'un système positif et il propose une doctrine de l'organisation sociale, non politique, il convient d'y insister, puisque, au départ, les écoles socialistes se présentent en réaction contre les écoles politiques (tel est le second sens du mot socialisme) en mettant l'accent sur le social qu'elles opposent au politique. Les socialistes s'accordent, en effet, avant 1848 et même encore après, à considérer que la solution des difficultés contemporaines n'est pas de substituer la république à la monarchie, ni même de remplacer le suffrage censitaire par le suffrage universel, ces problèmes étant considérés comme problèmes mineurs qui ne font que détourner l'attention de l'essentiel, c'est-à-dire des questions sociales et de l'organisation de la société.

Les écoles socialistes entendent donc se situer sur un autre plan que les partis politiques, et c'est le point de départ d'une compétition, d'un malentendu durable entre les politiques et les socialistes, les socialistes affectant de mettre dans le même sac tous les politiques, les démocrates comme les réactionnaires. Que gagneraient les travailleurs au changement de dénomination du régime puisque le vrai problème est le changement du régime de la propriété ?

Aussi, les socialistes se tiennent-ils en dehors des luttes politiques et rien n'est plus significatif à cet égard que l'indifférence de Proudhon entre 1848 et 1852, sa sévérité pour la République, sa passivité au moment du coup d'État du 2 décembre 1851.

Depuis, la situation s'est grandement modifiée : toute l'histoire de l'évolution du socialisme, qui deviendra progressivement une force politique, pourrait presque se réduire à l'itinéraire d'une école d'organisation sociale qui se mue en parti politique pour la conquête — ou l'exercice — du pouvoir.

La diffusion du marxisme.

Cette évolution du social au politique, de l'école au parti, est liée à l'évolution interne du socialisme. Il y a en effet quantité d'écoles, de systèmes, de penseurs, de doctrinaires. Rien que pour la France, avant 1848, on peut énumérer Saint-Simon, Fourier, Cabet, d'autres encore, qui tous ont des disciples, proposent leurs solutions. Les écoles socialistes se comptent par dizaines et c'est d'ailleurs cette richesse idéologique, ce foisonnement des systèmes qui caractérisent le milieu du XIXᵉ siècle.

Si toutes ces écoles ont pour fonds commun la critique du libéralisme et pour programme la substitution de la propriété socialisée à la propriété privée, elles divergent sur les modalités pratiques mais aussi par la philosophie générale. Certaines sont optimistes, d'autres pessimistes, les unes s'intéressent davantage à l'industrie et d'autres à l'agriculture; il en est de spiritualistes qui veulent régénérer le christianisme, d'autres, au contraire, optent pour le matérialisme.

Rivales, ces écoles se disputent l'adhésion des esprits. Mais, par étapes, l'une de ces écoles va prendre le pas sur les autres et les évincer : le marxisme. C'est en partie parce que le marxisme a prévalu que le socialisme s'est politisé. Peut-être l'évolution aurait-elle été tout autre si une école moins systématique et moins globale l'avait emporté. Le marxisme s'est imposé par la force du système, sa cohérence interne, le génie de ses fondateurs.

Une âpre compétition, une farouche lutte d'influences se livre aux congrès de l'Internationale. La première Internationale, fondée à Londres en 1864, a un caractère très composite, associant des syndicats — les trade-unions britanniques —, des organisations proprement politiques et même des partis qui se proposent de libérer leur pays opprimé. Comme le programme rassemble anarchistes, socialistes proudhoniens, marxistes, il reste, sur le plan idéologique, assez vague. A chacun des congrès de l'Internationale qui se tiennent entre 1864 et 1870 en Suisse ou en Belgique, s'affrontent ces écoles jusqu'à ce que, peu à peu, la minorité marxiste se renforce jusqu'à devenir majorité vers la fin de la décennie.

C'est aussi dans chaque pays que se livre la lutte d'influences entre le marxisme et les autres écoles socialistes.

En France, c'est la pensée de Proudhon qui représente pour le marxisme l'adversaire principal, le proudhonisme ayant exercé une influence puissante sur une génération du mouvement ouvrier et la plupart des fondateurs de l'Internationale, ceux qu'on retrouvera dans la Commune de 1871.

En Allemagne, le grand nom est celui de Lassalle qui a fondé en 1864 un parti socialiste. De 1864 à 1875, une vive opposition affronte lassalliens et marxistes, ces derniers l'emportant en définitive.

Des circonstances de politique extérieure ont contribué à la victoire du marxisme, dont, curieusement, la guerre de 1870 : la victoire de l'Allemagne a affaibli le rayonnement du socialisme français qui laisse ainsi le champ libre à l'influence de Marx. Des circonstances de politique intérieure également, telles les journées de juin 1848, puis la Commune, diminuent l'influence des socialismes qui n'admettaient qu'avec réserve la lutte de classes. En effet, les socialismes antérieurs à 1848, ceux auxquels le marxisme va accoler l'épithète d'utopique, reposaient sur une vision optimiste de la société, la conviction qu'il suffit de l'accord de tous pour que la régénération et l'amélioration de la société soient possibles. La guerre civile qui, en juin 1848, oppose les faubourgs populaires de Paris à l'Assemblée, et vingt-trois ans plus tard, la Commune anéantissent ces espérances et sont en quelque sorte la preuve expérimentale que la lutte de classes n'est pas une idée de visionnaire mais la loi de la réalité sociale. A deux reprises, l'opposition des intérêts a abouti à une épreuve de force, à deux reprises la classe ouvrière en est sortie vaincue par la coalition du pouvoir d'État, de la force armée et des possédants.

A partir de 1870-1880, les progrès du marxisme se précipitent ; il devient dans la plupart des pays la philosophie reconnue du mouvement ouvrier. En France, Jules Guesde, radical converti au marxisme après avoir lu l'œuvre de Marx, notamment *le Capital,* milite à partir de 1875 et lance un journal qui lui vaut d'être déféré en justice. 1879 marque une date capitale du marxisme puisque, pour la première fois, un congrès ouvrier s'y rallie dans sa majorité. En 1875, en Allemagne, les deux tendances socialistes, celle de Lassalle et celle de Marx, s'unifient sur le programme de Gotha qui restera longtemps le programme officiel du socialisme allemand. Dans les années 1880, en Italie, en Espagne, en Belgique, aux Pays-Bas, en Scandinavie, surgissent des partis socialistes qui se réclament du marxisme.

Ainsi la victoire du marxisme sur les autres socialismes, et la transformation du socialisme de doctrine spéculative en une force politique organisée sont bien concomitantes.

Le socialisme comme force politique.

Le marxisme suscitant la formation de partis qui tentent de conquérir l'opinion et le pouvoir, il faut désormais compter dans le système des forces politiques avec les partis socialistes qui ne pensent plus qu'il soit possible de transformer la société en ignorant, en isolant ou en contournant le pouvoir. C'est par le pouvoir que passera la réalisation du socialisme.

Plus disciplinés que les autres, ces partis essaient de compenser leur faiblesse initiale par un surcroît d'organisation et de cohésion. Ce sont les premiers partis dont le groupe parlementaire est considéré comme l'instrument d'une action conçue en dehors du Parlement, comme le détachement avancé, le prolongement d'un organisme extérieur à la vie parlementaire.

Ces partis recrutent des adhérents et se développent en dépit des difficultés, des interdictions légales qu'ils rencontrent parfois, telle la social-démocratie allemande entre 1878 et 1890. En effet, Bismarck, inquiet de la montée du socialisme, prend prétexte d'un attentat manqué contre

Guillaume Ier, pour faire voter une législation d'exception qui, appliquée dans toute sa rigueur, entraîne l'interdiction du parti, l'expulsion à l'étranger de ses dirigeants, la disparition de sa presse.

Malgré tout, le parti socialiste se renforce et après 1900 dans la plupart des pays d'Europe occidentale, centrale, voire même orientale, le socialisme constitue une force de premier plan, souvent même la première par l'effectif de ses adhérents, le nombre de ses élus, le tirage de ses journaux. En France, aux élections de 1914, le parti socialiste vient immédiatement après les radicaux et radicaux-socialistes : 104 députés sur quelque 600. En Allemagne, le parti social-démocrate est le premier groupe parlementaire avec 110 élus en 1912 et plus de 4 millions de voix. En Angleterre, un parti socialiste s'est constitué à l'initiative des syndicats, le parti travailliste, qui affronte pour la première fois les électeurs en 1906.

Très réduit aux États-Unis, au Canada, absent du reste du monde, le socialisme est encore un phénomène circonscrit à l'Europe où il représente une force politique organisée, avec des moyens puissants, des journaux à gros tirage. Jaurès a lancé *l'Humanité* en 1904, en Allemagne, le *Vorwärts* est un des plus grands quotidiens. L'*Avanti* couvre l'Italie. Rien qu'en Allemagne, les socialistes impriment 90 quotidiens à la veille de la guerre.

A la veille de 1914, l'évolution est achevée qui fait passer le socialisme du plan des idées à celui des forces organisées.

La diffusion du socialisme d'inspiration marxiste a profondément modifié le style de la vie politique en y introduisant des préoccupations et des méthodes nouvelles. Nulle part associé à l'exercice du pouvoir, le socialisme est partout une force d'opposition et c'est précisément parce qu'il est contenu dans l'opposition qu'il se range à gauche. Au départ, son refus d'attacher de l'importance aux problèmes politiques, son affectation à traiter avec la même indifférence la gauche et la droite ne préjugeaient pas le point de l'éventail politique où il se rangerait, le jour où il aurait des électeurs et des élus.

Parce qu'il combat l'ordre établi, à la fois les vestiges de l'Ancien Régime, la conservation politique ou sociale, mais aussi le libéralisme dont les malfaçons ont été au principe de sa révolte, il constitue une force d'opposition politique, à laquelle s'ajoute une opposition à toutes les valeurs reconnues. On ne saurait trop insister sur le caractère global de cette critique qui rejette en bloc les institutions politiques, le régime économique, le système des relations sociales, la morale bourgeoise, la philosophie et la religion dont se réclame la société. Le socialisme n'est pas seulement une solution économique, c'est aussi une philosophie. Avec le triomphe du marxisme, le matérialisme l'emporte. Le socialisme prend position contre la religion, et pas seulement contre les Églises, comme certains libéraux ou certains démocrates, mais contre le fait religieux lui-même.

De par leur caractère international qui est un de leurs éléments constitutifs, les écoles socialistes ont pris position contre le nationalisme et l'État-nation. Au plan des idées, elles sont unanimes à considérer que le sentiment national n'est qu'un alibi, un leurre suscité par la bourgeoisie possédante pour détourner les prolétaires de leurs intérêts de classe. La solidarité qui lie les travailleurs par-delà les frontières doit être plus forte que la solidarité à l'intérieur des frontières entre exploiteurs et exploités. Le socialisme s'organise dans des Internationales qui ont, à l'époque, une cohésion, bien affaiblie depuis.

La première Internationale, l'Association internationale des travailleurs, fondée en septembre 1864 à Londres, n'a guère résisté à l'épreuve de la guerre franco-allemande. Au lendemain de la Commune, le siège en est transféré à New York, mais l'association est déjà moribonde; elle végétera quelques années avant de disparaître sans bruit autour de 1876.

La seconde Internationale constituée en 1889 existe toujours mais ses structures n'ont plus la même consistance. A la différence de la première, elle est homogène; c'est une internationale de partis qui ne groupe que des organisations politiques, et les syndicats, telles les trade-unions qui étaient membres de la première, en sont absents. Ils se groupèrent dans une internationale syndicale, la Fédération mondiale internationale, les rapports entre les deux internationales constituant une histoire compliquée.

Les partis politiques qui adhèrent à la seconde Internationale se réclament tous du socialisme marxiste. C'est une internationale social-démocrate, socialiste et démocratique, le socialisme rêvant d'élargir la démocratie politique en démocratie sociale. Depuis qu'il s'est convaincu que dans le système des forces ses alliés étaient plutôt à gauche et qu'il avait des devoirs à l'égard de la démocratie politique, il est passé du stade de la neutralité au soutien des institutions démocratiques. C'est par le libre jeu des élections et de la représentation parlementaire que ces partis espèrent arriver au pouvoir et réaliser leur programme. C'est l'idée de Jaurès en France, l'espérance des travaillistes en Angleterre, l'objectif des socialistes dans les pays scandinaves, en Belgique, aux Pays-Bas, même en Allemagne. Il en va différemment plus à l'est où le socialisme est réduit à la clandestinité.

Le caractère international du socialisme est si marqué qu'il s'inscrit dans la désignation même des partis. Ainsi en 1905 le parti qui réunit, en France, les différentes écoles socialistes, s'appelle Section française de l'Internationale ouvrière, SFIO. Ce qui est premier, c'est l'Internationale dont les partis nationaux ne sont que des sections. L'Internationale n'est pas le couronnement d'un processus amorcé dans différents pays. Elle prend acte de la solidarité internationale des travailleurs, qui résulte de leur identité d'intérêts et de leur opposition à un capitalisme également international, pour constituer une force politique qui se ramifie ensuite dans les différents pays. L'internationalisme n'est donc pas un caractère occasionnel ou subsidiaire mais fondamental.

Cet internationalisme se traduit dans les Parlements par l'attitude des groupes parlementaires qui combattent la diplomatie traditionnelle, la course aux armements, la politique de la paix armée, et refusent régulièrement de voter le budget militaire, les budgets coloniaux, les fonds secrets.

Le socialisme incarnant la cause de la paix internationale, à la veille du premier conflit mondial, la conjonction entre pacifisme et socialisme est presque totale. Il est difficile de dire si, en définitive, le pacifisme ne fait pas plus encore pour le succès du socialisme dans les esprits, que ses positions proprement sociales. Le socialisme paraît incarner pour des masses considérables autant une espérance de solidarité, une aspiration à la paix, que le rêve d'une société plus juste et plus fraternelle.

Le socialisme représente en 1914 une force en croissance régulière, capable de réunir des millions de suffrages, de rameuter des auditoires considérables pour entendre ses ténors, ses leaders, Liebknecht en Allemagne, Jaurès en France, ou Vandervelde en Belgique.

Tout cela fait du socialisme un élément capital du jeu politique. Ruinant la grande espérance de paix qu'il incarnait, la Première Guerre a été, pour lui, une épreuve décisive. L'impuissance où les socialistes se sont trouvés, dans l'été 1914, d'arrêter la course à la guerre explique la scission du mouvement au lendemain du conflit et que les esprits les plus absolus soient allés vers une autre formule, celle dont la Russie bolchevique propose l'exemple avec la troisième Internationale.

6

Les sociétés rurales

L'importance du monde de la terre.

Après la condition des prolétaires et la formation du mouvement ouvrier, il paraît indispensable d'évoquer, même brièvement, un autre aspect des sociétés du XIXᵉ et aussi du XXᵉ siècle, le monde de la terre, les sociétés rurales, ne serait-ce que pour situer le mouvement ouvrier. C'est seulement si l'on replace la classe ouvrière et ses problèmes dans une perspective d'ensemble, qu'il est possible d'en mesurer la portée relative. On est trop souvent porté à la surestimer parce qu'on oublie qu'au XIXᵉ siècle toutes les sociétés sans exception sont encore à prédominance rurale. Notre histoire incline à grossir l'importance du phénomène urbain, de la population des villes et des questions sociales liées à l'industrialisation, oubliant les problèmes et la situation des paysans.

A cette omission plusieurs raisons concourent. Le fait, d'abord, que les paysans ne parlent guère d'eux-mêmes et écrivent moins encore (au XIXᵉ siècle, c'est dans les campagnes que le taux d'illettrés est le plus élevé). D'autre part, vivant à l'écart des villes où délibèrent les parlements, où siègent les gouvernements, ils ne pèsent guère sur le cours de l'histoire qui se fait dans les cités. S'il y a bien une révolution agraire en marge de la Révolution tout court, c'est une révolution intermittente, qui ne s'impose qu'à de rares exceptions à l'attention générale et aux pouvoirs publics.

Enfin, le monde de la terre, au moins jusqu'au XXe siècle, n'évolue guère ou si lentement que les changements y sont imperceptibles et passent inaperçus des contemporains. C'est une histoire pratiquement intemporelle. La condition du paysan n'a presque pas évolué depuis le Moyen Age ou même l'Antiquité. Il laboure encore la terre avec les mêmes instruments, l'araire dans le Sud-Ouest de la France. Sans aucun bouleversement technique, aucune transformation des structures, il est difficile d'observer et de décrire une histoire qui est dépourvue de repères chronologiques.

Et pourtant, si l'on évalue l'importance des phénomènes au nombre des intéressés, c'est de la paysannerie que nous devrions faire l'histoire. La condition paysanne est celle de la très grande majorité de l'humanité, même dans les pays les plus évolués, dans les sociétés où l'économie est déjà industrialisée, où le capitalisme commercial, industriel s'est largement développé. En 1846, en France, qui fait partie du peloton de tête au XIXe siècle, qui est l'un des deux ou trois pays les plus avancés, les ruraux représentent 75 % de la population (sont réputés ruraux ceux qui vivent dans des localités où il y a moins de 2 000 habitants). En 1921, le recensement accorde encore la majorité absolue à la population rurale, avec 53,6 %. Il n'y a guère, au lendemain de la Première Guerre mondiale, qu'en Angleterre et en Allemagne que la population paysanne soit déjà tombée au-dessous de la moitié. Partout ailleurs la condition paysanne est restée celle de la majorité des hommes. On peut estimer grossièrement qu'au XIXe siècle les paysans représentent les neuf dixièmes de l'humanité. C'est de plus le paysan qui assure la subsistance des autres et, de temps à autre, des famines le rappellent à l'opinion si elle était tentée de l'oublier.

1. La condition paysanne et les problèmes agraires

Le problème de la faim et des subsistances a d'abord été celui des sociétés rurales avant de s'étendre aux villes, et la plus ancienne, la plus constante, la plus générale des préoccupations qu'il faut évoquer au début d'une étude des sociétés rurales au XIXᵉ et au XXᵉ siècle, c'est cet impératif alimentaire. Au XIXᵉ siècle, beaucoup de pays souffrent encore chroniquement de la faim. C'est moins vrai en Europe depuis que la révolution agricole a permis d'augmenter les rendements, de transformer les structures, d'introduire de nouvelles cultures, mais ailleurs, en Afrique, en Asie, populations et gouvernements sont encore affrontés à ce problème de la faim. C'est une des principales préoccupations de l'administration coloniale dans les territoires soumis à son autorité. C'est aussi un des effets heureux de la colonisation, l'une de ses justifications aux yeux de l'opinion européenne que d'avoir fait reculer le spectre de la faim. Les nations colonisatrices y ont réussi en introduisant de nouvelles cultures, en améliorant les modes de production, et aussi par leur politique des transports. Si, par exemple, l'Inde, sous la domination anglaise, souffre moins de la faim, c'est en partie à cause d'un réseau ferroviaire qui permet de compenser la pénurie de certaines régions par l'excédent d'autres, car il est rare que l'ensemble du continent indien souffre au même moment de la famine.

Le deuxième problème qui tourmente nombre de sociétés rurales est celui de la terre, de la quantité de terre à cultiver et à posséder, du rapport entre la superficie disponible et le

nombre d'hommes qui la travaillent. S'il y a des régions —
en Afrique centrale — où les hommes ne sont pas assez
nombreux pour défricher, le plus souvent, le problème est
inverse : il y a trop de demande pour le peu de terre disponible, et la paysannerie souffre d'une faim de terre. Ainsi
en Russie où les terres fertiles ne représentent qu'une assez
faible fraction de la superficie totale de l'empire, la paysannerie souffre chroniquement d'une pénurie de terres. La
France de l'Ancien Régime connaissait le même drame,
avec le surpeuplement des villages : la population croît
rapidement et les terres ne suffisent pas à lui donner du
travail. C'est un problème aigu, souvent dramatique.
L'exode rural, l'afflux dans les villes et le travail industriel
sont les seules issues qui s'offrent à cette main-d'œuvre.
C'est grâce à cet exode rural que l'industrie nouvelle trouve,
au xixe siècle, la main-d'œuvre dont elle a besoin. En
Russie, le courant qui draine vers la Sibérie des millions de
Russes trouve son principe dans le surpeuplement des
campagnes de la Russie du Sud. A l'émigration intérieure
s'ajoute l'émigration à l'extérieur, qui, en un siècle, draine
vers l'Amérique quelque 60 millions d'Européens.

 Le problème de l'appropriation de la terre est le troisième
problème qui se pose au monde rural, car il arrive souvent que la terre n'appartienne pas à qui la travaille. Si le
capitalisme industriel porte à son paroxysme la dissociation
entre la propriété et l'exploitation, les sociétés rurales l'ont
connue bien avant. C'est pour y mettre fin que le socialisme
préconise l'appropriation collective de la terre, que d'autres
écoles font campagne pour une réforme agraire qui entraî-
nerait le morcellement des grands domaines et leur redistribution entre les petits cultivateurs qui les travaillent.

 Les régimes sont d'une grande variété avec le fermage,
le métayage, même le servage encore vivace au xixe siècle.
Si l'évolution de l'Europe tend, depuis le xve ou le xvie siècle,

à le supprimer, la Russie demeure son domaine. Ailleurs, des survivances de la féodalité entretiennent un état de choses qui, depuis la Révolution de 1789, apparaît anachronique. Ailleurs encore, il y a superposition de deux classes dont l'antagonisme coïncide avec une différence de nationalité; c'est le cas de l'Irlande où, depuis le XVIIe siècle, la terre a été arrachée aux habitants, transférée aux occupants britanniques, la main-d'œuvre irlandaise cultivant les propriétés britanniques.

Là où la féodalité a disparu, la propriété bourgeoise lui a succédé, entre autres dans les pays touchés par la Révolution française. Les principaux bénéficiaires, sinon les bénéficiaires exclusifs, du transfert de propriété lié à la vente des biens nationaux ont été des bourgeois qui ne cultivent pas eux-mêmes. Si bien que la situation du paysan n'a guère changé; s'il a changé de maître, il n'en est pas pour autant propriétaire de la terre qu'il fait fructifier. Enfin, d'autres groupes accaparent progressivement la propriété de la terre, ceux notamment auxquels le paysan est obligé de recourir quand il a besoin d'argent.

Nous retrouvons par ce biais l'endettement, cet autre problème majeur et permanent des sociétés rurales.

Le rendement de la terre étant irrégulier — les mauvaises récoltes succèdent aux bonnes —, celui qui la travaille n'a pas de réserves suffisantes, ni de disponibilités financières pour pouvoir faire la soudure et attendre une meilleure année. Si la terre ne lui a rien rapporté, il est donc réduit à emprunter, pour se nourrir, pour acheter les semences ou les quelques produits de première nécessité. Le crédit n'étant pas organisé, il doit s'adresser à des usuriers, à des notaires, à des prêteurs qui le font à des conditions exorbitantes. L'argent étant rare, le taux d'intérêt est si élevé qu'en quelques années le montant de la dette double ou triple. Incapable de rembourser, le paysan voit la propriété de sa terre lui échapper et passer à son créancier. C'est ainsi que se développe dans la plupart des sociétés rurales une classe de propriétaires qui tiennent leur terre des prêts qu'ils ont consentis aux occupants traditionnels : aux Indes, c'est ce qu'on appelle les *zamindars*. Ce problème de l'endettement est commun à toutes les sociétés rurales, aux plus primitives comme aux plus développées.

Sur ce fond général d'une agriculture traditionnelle qui est le lot de presque toutes les sociétés rurales, dont l'économie est une économie de subsistance, on voit au xixe siècle surgir quelques agricultures modernes qui empruntent déjà à l'industrie sa mentalité et ses modes d'organisation. Ainsi les États-Unis, le Canada, la grande plaine germanique, l'Angleterre, les pays scandinaves, les Pays-Bas, certaines régions de la France sont à l'avant-garde du progrès technologique. Premiers à s'être engagés dans la voie de la révolution agricole, ils expérimentent des méthodes nouvelles, améliorent les rendements et obtiennent des résultats bien supérieurs, mais se heurtent aux mêmes problèmes que l'agriculture traditionnelle par le biais de l'économie de marché. En effet, si les agricultures traditionnelles ne se posaient guère le problème de la commercialisation de leurs produits — l'ambition du paysan étant de se suffire à lui-même —, avec l'apparition d'une nouvelle agriculture, industrielle, extensive, la commercialisation devient une nécessité. C'est l'agriculture des États-Unis qui offre l'exemple le plus poussé de cette évolution et des difficultés qu'elle suscite. Le fermier américain a besoin de vendre ses produits, mais le mécanisme par lequel s'établissent les cours de vente — notamment ceux des céréales, qui dépendent des intermédiaires, des courtiers en grains, des compagnies de chemins de fer, des banques — lui échappe totalement. Si les acheteurs ont la possibilité d'attendre, surtout avec l'augmentation croissante des récoltes, le fermier doit vendre au plus tôt sa récolte pour rentrer dans les dépenses qu'il a engagées, et même s'il pouvait attendre financièrement, il n'a pas la possibilité de stocker sa récolte. Il est donc obligé de s'en défaire au plus tôt. Le temps travaille contre lui. Que survienne une mauvaise récolte — et une agriculture moderne comme celle des États-Unis n'est pas davantage à l'abri des intempéries que les agricultures les plus traditionnelles —, le voilà obligé de chercher du crédit. La seule différence tient au fait qu'au lieu de recourir à l'usurier local, il s'adresse à une banque pour emprunter en donnant sa ferme en gage. S'il ne peut rembourser, la propriété de sa terre passe aux banques des États de l'Est. La situation de l'agriculture américaine présente donc, malgré la différence des rendements et des structures, de grandes analogies avec la situation des agricultures plus primitives. On retrouve cette vérité que l'agriculture est plus difficile à organiser que tout autre secteur de l'activité économique. Si nous prolongions cette étude au-delà de 1914, il suffirait pour achever de s'en convaincre de considérer l'exemple des États-Unis d'aujourd'hui, de la Russie post-stalinienne obligée d'acheter du blé à d'autres pays, et de la Chine communiste pour constater que ces trois pays, avec des régimes différents et des politiques dissemblables, sont aux prises avec la même impossibilité de maîtriser le travail de l'agriculture.

Tels sont les principaux problèmes concrets qui constituent le lot quotidien des neuf dixièmes de l'humanité.

2. Les paysans et la politique

Les paysans, étant — et de loin — les plus nombreux, devraient normalement exercer sur la vie politique des sociétés une pesée déterminante, surtout à partir de l'adoption du suffrage universel. Tant que la vie politique restait l'activité de cercles restreints généralement urbains, on conçoit que les sociétés rurales soient restées en dehors. Mais à partir du moment où prévalent le principe de la souveraineté populaire, le suffrage universel, l'axiome de l'égalité des voix, les masses rurales étaient appelées à devenir l'arbitre suprême de la vie politique. Or, en fait, les paysans restent à l'écart, et la paysannerie n'est pas la plus grande force politique. C'est que la force, en politique, n'est pas seulement fonction du nombre, l'effectif étant loin d'être la seule mesure du pouvoir et de l'efficacité d'un groupe social. D'autres éléments entrent en ligne de compte qui jouent contre la paysannerie, en premier lieu sa composition hétérogène.

La paysannerie regroupe des catégories dont les intérêts sont loin d'être identiques. Si géographiquement les ouvriers sont concentrés, les paysans sont dispersés. Ils ne communiquent pas, ils n'ont guère l'occasion de se rencontrer, ils ne peuvent s'assembler, ils ne constituent pas une masse dont la pression physique impressionne ou intimide les patrons ou les gouvernements. Enfin, il faut tenir compte de leur retard intellectuel et scolaire, de leur dépendance des autorités sociales (châtelains et propriétaires), spirituelles (les Églises), politiques (le gouvernement, l'administration). La paysannerie a l'habitude séculaire de subir, d'obéir, et la résignation au malheur est pour elle comme une seconde nature.

Cependant, la paysannerie fait de façon discontinue, à de longs intervalles, de brusques irruptions dans le processus politique. Elle a des aspirations fondamentales, jamais complètement oubliées, à la liberté, à l'émancipation des tutelles qui pèsent sur elle, et à la propriété effective de la terre qu'elle féconde par son travail. Cette double aspiration est bien antérieure au xixe siècle, et à la Révolution française; elle vient du fond des âges. En Europe occidentale, l'émancipation est déjà assez avancée à la fin du xviiie siècle et la Révolution a aboli les derniers vestiges de la société féodale, supprimé la propriété ecclésiastique, restreint la propriété nobiliaire et fondé une nouvelle classe de propriétaires ruraux. Ce faisant, elle a travaillé pour toute la paysannerie de l'Europe occidentale, l'administration et les armées de la Révolution et de l'Empire ayant contribué à étendre à d'autres pays les conquêtes sociales et le nouveau régime juridique. La Révolution, à son tour, devient le principe d'un ébranlement qui se communique aux autres pays par l'exemple, les idées, et le recul du servage en Europe au xixe siècle en est une conséquence à retardement.

Le servage et les corvées disparaissent de l'Europe danubienne en 1848. En 1861, le tsar réformateur Alexandre II, monté sur le trône au lendemain de la défaite de la Russie en Crimée, prend l'initiative d'abolir, par un oukase libérateur, le servage, et c'est un des grands événements de l'histoire de la paysannerie que l'émancipation d'un coup de plusieurs dizaines de millions de serfs russes. Elle ne résout pas pour autant la question agraire, laisse entier le problème de la pénurie des terres, mais elle transforme la condition juridique et personnelle des paysans qui sont désormais libres de leur personne.

Autre forme de dépendance qui n'est du reste pas toujours liée à la terre, plus rigoureuse encore que le servage, l'esclavage assujettit au xixe siècle des millions, et peut-être des dizaines de millions d'hommes en Afrique, en Asie et en Amérique. Si le servage respecte la dignité personnelle des individus et se limite à leur interdire toute mobilité, l'esclavage ne considère pas les êtres humains comme des personnes, mais comme des choses, des objets qui donnent lieu à des transactions commerciales. Le xixe siècle lutte contre l'esclavage et restreint progressivement son aire d'extension. En 1807, le Congrès des États-Unis interdit la traite, le gouvernement américain espérant que l'esclavage s'éteindrait ainsi de lui-même, tari à sa source par le jeu naturel de l'économie et par l'application de la philanthropie. En 1815, les diplomates, réunis à Vienne, condamnent la traite. L'Europe civilisée tient donc désormais la traite pour un crime contre l'humanité et la prohibe. C'est pour faire respecter cette disposition du congrès de Vienne que les marines française et surtout britannique vont exercer dans l'océan Atlantique une surveillance, les croiseurs britanniques arraisonnant les navires suspects de transporter du « bois d'ébène ». Les États se reconnaissent mutuellement le droit de confisquer la cargaison et de conduire dans leurs ports ceux qui enfreignent l'interdiction du congrès de Vienne. L'opinion publique n'admet pas toujours cette dernière disposition, comme en témoigne l'affaire dite du « droit de visite », qui enfièvre l'opinion française contre l'Angleterre après 1840 et suscite des difficultés au gouvernement de Louis-Philippe.

La suppression de la traite n'entraîne pas *ipso facto* l'abolition de l'esclavage. On peut fort bien condamner la traite, tout en hésitant à abolir l'esclavage par crainte de porter atteinte au droit de propriété. En effet, les propriétaires ont acheté ces esclaves : comment les dédommager de la perte que représentera l'émancipation ? C'est sur cette difficulté juridique et sociale qu'achoppe le mouvement abolitionniste, problème un peu comparable à celui posé au xxe siècle par les nationalisations d'entreprises.

La Grande-Bretagne, où le mouvement philanthropique est plus vigoureux que sur le continent, est la première à abolir en 1833 l'esclavage dans ses colonies. En France, quinze ans plus tard, c'est un des premiers actes du gouvernement provisoire de la République, au lendemain de la

révolution de février 1848, que de proclamer l'abolition
de l'esclavage. Les États-Unis y viennent, à leur tour,
en 1863, au cours de la guerre de Sécession. Pas plus
que l'abolition du servage en 1861 n'a réglé la question agraire, l'abolition de l'esclavage aux États-Unis
ne supprime la question noire : elle change seulement de
forme.

Après avoir obtenu satisfaction en Grande-Bretagne, en
France, aux États-Unis, le mouvement abolitionniste reporte
son effort sur les pays où l'esclavage subsiste, où il a toujours
trouvé sa source, où les marchands d'esclaves s'appro-
visionnaient, l'Afrique centrale. C'est un des aspects de
l'épopée géographique et de l'histoire des explorations dans
la seconde moitié du XIXe siècle que d'être aussi une lutte
contre les marchands d'esclaves. Livingstone se propose à la
fois de découvrir des régions mal connues et de ruiner leur
trafic. Brazza affranchit des esclaves. Le cardinal Lavigerie
prend la tête d'une grande croisade abolitionniste à laquelle
il essaie d'intéresser les gouvernements européens et l'opinion publique. A la veille de la Première Guerre mondiale,
l'esclavage, s'il n'a pas totalement disparu, a subi des
reculs considérables et est réduit à se dissimuler derrière
des pratiques honteuses et inavouées. C'est un des titres
du XIXe siècle à l'estime et à la reconnaissance que ce grand
mouvement qui a libéré des dizaines de millions d'hommes
réduits à la servitude.

Dans les pays plus évolués où l'esclavage n'avait jamais
existé ou avait depuis longtemps disparu, où le servage
s'était déjà effacé, la paysannerie ne s'estime pas pour
autant complètement émancipée. Elle attend de la démocratie une libération effective. Il faut rappeler que, dans les
campagnes plus encore que dans les villes, le mouvement
démocratique a trouvé sa pleine signification avec le développement de l'instruction qui rend les paysans désormais

plus indépendants puisqu'il leur devient possible de consulter les affiches, de se tenir informés, de signer des actes de vente ou d'achat, sans recourir à d'autres à qui ils étaient obligés de faire confiance. La diffusion des journaux prolonge l'action de l'école. Le service militaire qui arrache les conscrits à leurs villages pour plusieurs années, qui leur révèle un autre type de société, a eu des conséquences certaines sur la transformation des campagnes.

En ce qui concerne la vie politique, le suffrage universel a remis entre les mains des paysans un moyen d'action dont ils n'ont pas songé immédiatement à tirer tout le parti possible, mais qui offre des virtualités considérables, puisque le suffrage universel leur transfère à terme le pouvoir — pour aussi longtemps du moins que les campagnes restent majoritaires. Un des paradoxes de cette histoire est que les paysans ne commencent à découvrir la puissance du suffrage universel qu'au moment où l'exode rural diminue leur importance relative et où ils deviennent minoritaires. Si les paysans devenus minoritaires pèsent plus lourd dans la société politique que lorsqu'ils étaient encore la majorité, c'est qu'il leur manquait alors la conscience de leurs problèmes, la découverte des possibilités du suffrage universel. La paysannerie prend progressivement conscience d'elle-même et s'organise. C'est, aux États-Unis, le développement du radicalisme agraire, notamment dans les États du Middle-West.

Il y a quelque chose de symbolique et de significatif dans l'échec de toutes les insurrections urbaines à partir de 1848 en France. La dernière révolution réussie est celle de février 1848, antérieure au suffrage universel. Les journées de Juin et la Commune sont écrasées. C'est le signe que désormais le centre de gravité de la vie politique, au moins en France, est passé de la ville à la campagne, que Paris ne peut plus gouverner contre la province, que la population parisienne n'est plus en mesure d'imposer ses volontés à la population rurale.

Comment cette paysannerie se situe-t-elle politiquement? Il est difficile de répondre à une question aussi vaste par une formule catégorique et universelle. En effet, les choix électoraux de la paysannerie s'exercent dans des sens très différents, souvent dans un sens conservateur, par habitude, par fidélité au passé ou à ceux qui l'incarnent. C'est le cas, par exemple, en France, où, contrairement aux craintes des notables qui s'imaginaient que le suffrage universel laisserait la porte ouverte aux barbares, signerait la destruction de la société organisée, le suffrage universel a renforcé l'autorité des conservateurs. En 1849, l'Assemblée législative est une assemblée de droite. Le phénomène se répète en 1871 quand, pour combler le vide laissé par la chute du second Empire, le pays consulté élit une Assemblée de notables. La première réaction du suffrage universel rural est donc de faire confiance aux élites traditionnelles, de confirmer dans leur préséance ceux qui depuis des siècles président aux destinées des petites unités territoriales dont se compose la société française.

Puis, peu à peu les campagnes évoluent, leurs voix se déplacent, elles reportent peu à peu leurs suffrages sur des candidats plus avancés. En France, on peut dater le renversement de tendance des premières années de la troisième République. Après le 16 mai 1877, le pays consulté se prononce en majorité pour la gauche, et l'année suivante les élections municipales entraînent ce qu'on a appelé la *révolution des mairies*, quelque chose d'un peu comparable à la révolution municipale de 1789-1790. Les notables sont écartés de quantité de municipalités et remplacés par de nouveaux notables de condition plus modeste. La République a su rassurer, elle inspire maintenant confiance, les campagnes s'y rallient et c'est ce ralliement qui consolide la République. C'est ce qu'avait compris Gambetta. Jusque-là le parti républicain recrutait surtout dans les villes, auprès des milieux populaires. Mais la population des villes étant en minorité, la classe ouvrière isolée, pour accéder au pouvoir et s'y maintenir, il fallait le nombre; or le nombre c'était la paysannerie. Il fallait donc rallier les campagnes, les rassurer. C'est toute la politique républicaine des débuts de la troisième République.

Puis des ruraux glissent plus à gauche. Les études de sociologie électorale montrent que dans certains départements, de génération en génération, les voix sont allées des républicains modérés aux radicaux, des radicaux aux socialistes, parfois même des socialistes aux communistes; il est même arrivé qu'elles enjambent l'étape socialiste, passant directement du radicalisme au communisme rural. Depuis la dernière guerre, l'Italie méridionale décrit cette même évolution des masses rurales qui, demeurées jusqu'en 1946 dans le respect craintif des autorités traditionnelles, passent presque sans transition du vote monarchiste et conservateur à un vote communiste.

Il arrive parfois qu'en possession de sa liberté, jouissant d'une effective égalité civile et politique, disposant de la propriété de sa terre, la paysannerie entende maintenir l'ordre établi et se mue en force de conservation.

Si la paysannerie pèse plus lourd alors que le nombre diminue, c'est que, s'engageant dans la voie que lui a montrée le mouvement ouvrier, elle fait l'expérience de l'association, découvre les vertus du syndicalisme. Ainsi dès la fin du XIXᵉ siècle, au Danemark, aux Pays-Bas, les paysans ont su se grouper pour améliorer la production, organiser les circuits de distribution et faire pression sur les pouvoirs publics et les partis politiques. Parfois même ils se constituent en partis paysans comme dans l'Europe scandinave, où existent des partis agraires qui recueillent une bonne part des voix rurales et qui expriment les intérêts d'une classe. Les nouveaux États de l'Europe danubienne, Roumanie, Hongrie, Bulgarie, ont eu aussi leurs partis agraires.

Partout ailleurs, c'est-à-dire dans les trois quarts des États et pour les deux tiers de l'humanité, la paysannerie restant la masse, le nombre, ses problèmes sont ceux de la société tout entière, ses inquiétudes celles de toute la nation. Le tiers monde est composé de peuples paysans, et certaines des révolutions les plus récentes ont été d'abord des révolutions paysannes. Ainsi l'originalité de la révolution chinoise comparée à la révolution soviétique, c'est d'avoir été une révolution des campagnes : le parti communiste chinois s'est appuyé sur la paysannerie, la première réforme entreprise par lui dans les régions libérées, c'est la réforme agraire et c'est le succès de la réforme agraire qui lui a rallié la masse chinoise. L'accent mis sur les problèmes agraires différencie idéologiquement le communisme chinois du communisme russe. De même, la révolution castriste à Cuba est essentiellement une révolution de la terre et les paysans ont obtenu satisfaction avec la réforme agraire.

Ainsi, bien loin de diminuer en importance relative, les problèmes sociaux, économiques, politiques des sociétés rurales restent, dans la seconde moitié du XXe siècle, au nombre des problèmes majeurs posés à l'humanité moderne.

7

La croissance des villes et l'urbanisation

Tout autant que la division entre riches et pauvres ou la séparation entre capitalistes et travailleurs, la distinction entre ruraux et citadins est une des lignes de partage décisives de l'humanité : elle différencie des genres d'habitat, des types de relations entre personnes et groupes, des modes de vie. Distinction, en l'espèce, n'est pas séparation totale : entre ville et campagne, il existe échanges et communications de produits, d'idées, de population. Ce que les campagnes ont perdu en hommes avec l'exode rural, les villes l'ont recueilli : c'est même essentiellement avec l'apport de celles-là que les agglomérations urbaines ont grossi, car elles ne suffisent généralement pas à assurer leur propre renouvellement. Mais, avec la croissance du phénomène urbain depuis un siècle et demi, les relations des villes avec l'environnement naturel se sont modifiées et distendues; un nouveau genre de vie s'est progressivement constitué dont l'apparition et l'imitation sont devenues des composantes fondamentales du monde d'aujourd'hui. Aussi y a-t-il lieu de mesurer l'ampleur du phénomène, d'en décomposer les étapes, d'en scruter les causes et d'en inventorier les formes et les conséquences, tant politiques que sociales.

1. Le développement des villes

La ville n'est pas un fait nouveau, ni un trait original du monde contemporain. Il y a toujours eu des villes : l'existence de cités est probablement aussi ancienne, sinon que l'existence de l'homme, du moins que celle de sociétés organisées, contemporaine de la naissance de groupements humains débordant les communautés fondées sur le lien familial et la parenté du sang. Le vocabulaire est, à cet égard, un précieux témoin qui associe la notion de civilisation à l'existence de villes et au mode de vie urbain : à preuve la liaison étymologique entre cité et civilisation, ruralité et rusticité, signe d'une association sémantique. Comme si la ville était l'expression achevée et le lieu privilégié de la civilisation. Si l'agglomération d'hommes dans des villes est ainsi une constante de l'histoire de l'humanité, c'est ailleurs qu'il convient de chercher la nouveauté de la période contemporaine sous ce rapport. Les sociétés contemporaines ont, sur ce point, doublement innové : changement quantitatif et mutation qualitative.

L'accroissement des villes.

Depuis 1800, avec des paliers et de brusques accélérations, le phénomène urbain a subi une poussée irrésistible. Les villes d'autrefois sont devenues de grandes villes, les grandes villes ont pris des proportions gigantesques, et le nombre total des villes s'est multiplié. Bien que, dans le même temps, la population globale ait augmenté vertigineusement, la part de la population des villes a crû encore plus vite. C'est en Europe que le fait s'est d'abord manifesté. Il n'y avait en 1801 pour tout le continent que 23 villes de plus de 100 000 habitants et qui groupaient moins de 2 % de la population européenne. Elles étaient déjà 42 au milieu du siècle, 135 en 1900, et en 1913 15 % des Européens y habitaient. Quant aux villes de plus de 500 000 habitants, qui faisaient figure de monstres à l'époque, on n'en comptait que 2, au seuil du XIXe siècle : Londres et Paris. Elles étaient 19 à la fin du XXe siècle. D'Europe le mouvement a gagné les autres continents, en commençant par les « nouvelles Europes » : il est aujourd'hui universel et les autres parties du monde n'ont, sous ce rapport, rien à envier à l'Europe, certaines réveillant d'anciennes traditions de vie urbaine. Il y a aujourd'hui à la surface du globe quelque 200 villes dont la population dépasse le million et plusieurs avoisinent ou dépassent les 10 millions. Il a fallu forger des termes nouveaux, conurbations, mégapoles, mégalopolis, pour désigner ces agglomérations gigantesques qui s'étendent sur des centaines de kilomètres.

Une mutation des fonctions et du mode de vie.

Dans le même temps la ville a changé de nature : en partie par l'effet du changement d'échelle, mais pas seulement. L'apparence des villes s'est modifiée, et la même appellation désigne aujourd'hui une réalité sociale passablement différente de ce que nos ancêtres appelaient ainsi.

Les fonctions de la ville se sont diversifiées : à celles que les centres urbains ont assurées dans toutes les sociétés d'autres se sont récemment ajoutées, procédant des transformations de la technique, de l'économie et du gouvernement des hommes.

L'extension de la surface des villes, l'augmentation du nombre de leurs habitants et les changements qui en résultèrent ont fait surgir une série de problèmes radicalement nouveaux : subsistance, approvisionnement, évacuation, circulation, logement, administration, ordre public, auxquels les gouvernements ont dû chercher des solutions.

Enfin la croissance du phénomène urbain a entraîné la formation, puis la généralisation d'un nouveau mode d'existence : l'habitat, le travail, le loisir, les relations sociales, les croyances mêmes et les comportements s'en sont trouvés tour à tour affectés. Aussi l'étude du phénomène intéresse-t-elle tout à la fois l'historien, le géographe, le sociologue, l'économiste, le spécialiste du droit administratif, de la psychologie sociale, de la science politique. Peu de phénomènes dans le monde contemporain ont à ce point revêtu un caractère global qui affecte l'existence entière des individus comme des collectivités.

2. Les causes de la poussée urbaine

D'où vient donc ce prodigieux accroissement qui était une rupture soudaine dans une perspective multiséculaire? Le phénomène est complexe et procède d'une convergence de facteurs dont nous allons énoncer les plus décisifs. De ces facteurs les uns ont agi directement, provoquant sans intermédiaire la dilatation des villes : c'est le cas, par exemple, de l'afflux des campagnards chassés par l'exode rural et qui gonfle la population urbaine. D'autres n'ont fait que favoriser le phénomène : ils ne sont pas pour autant moins importants, car ils ont rendu possible le développement des agglomérations. Ainsi de la révolution des transports : sans le chemin de fer, les villes auraient été incapables de nourrir leur excédent de population. Tout bien considéré, la levée d'un obstacle n'est pas moins déterminante dans l'évolution historique que l'intervention d'un facteur de causalité directe et positive. L'observation vaut au reste pour d'autres réalités que celle de la ville.

La croissance urbaine est essentiellement un fait démographique. C'est l'envers de l'exode rural, évoqué ailleurs.

Il est alimenté par le surpeuplement des campagnes, impuissantes à assurer la subsistance et à donner du travail à une masse excédentaire. Le manque de terres disponibles, la ruine des paysans expropriés, chassés de leurs terres par les usuriers ou les banques, nourrissent l'émigration qui se dirige vers les villes. Le phénomène est universel : c'est lui qui amasse aujourd'hui dans les faubourgs des grandes cités des Indes ou de l'Amérique du Sud des masses misérables et sans emploi. Mais, pour l'Europe du XIXe siècle, il se trouva que, dans le temps même où l'exode acheminait vers les villes ces multitudes déracinées, les villes connaissaient un besoin accru de main-d'œuvre; l'exode répondait ainsi à un appel par une concomitance dont la Grande-Bretagne offrit, la première, l'exemple, et qui est un cas particulièrement saisissant de causalité réciproque : la croissance des villes constituait un appel d'air et l'afflux d'une masse disponible permit cette croissance même.

Cette corrélation est liée à un événement capital qui a modifié les fonctions de la ville : la révolution technique, liée à l'invention de la machine, à l'utilisation de nouvelles sources d'énergie, et qui engendre une concentration de main-d'œuvre autour des nouveaux centres de production. Auparavant, la production industrielle et la transformation des biens n'étaient pas nécessairement liées à la ville : un important secteur de fabrication textile était dispersé à la campagne pour qui elle constituait une activité saisonnière et une ressource complémentaire; les industries plus lourdes, forges, martinets, verreries, s'étaient fixées à proximité de la matière ou des minéraux qu'elles travaillaient ou des sources auxquelles elles empruntaient leur énergie, rivières ou forêts. Dorénavant, l'industrie, parce qu'elle a besoin d'une main-d'œuvre abondante qu'elle emploie sans relâche, est assujettie à la présence de collectivités : soit qu'elle s'établisse à la ville, soit qu'elle crée la ville en suscitant des rassemblements d'hommes. Dans l'un et l'autre cas, il y a désormais corrélation entre la ville et l'industrie, soulignée par la concordance entre les taux d'industrialisation régionale ou nationale et les taux de croissance des villes.

Mais les fonctions de la ville moderne ne se réduisent pas à la fonction industrielle : le développement de la vie en société engendre d'autres changements qui vont, à leur tour, concourir à la croissance des ensembles urbains. Ainsi de la fonction commerciale qui, elle, avait toujours été associée aux cités : le développement des échanges, les formes modernes de distribution, l'apparition des grands magasins, l'extension des entrepôts créent de nouveaux emplois et des types sociaux inédits, employés de nouveautés, commis, livreurs. De même la révolution qui bouleverse les structures du crédit suscite de nouveaux établissements couvrant le territoire d'un réseau d'agences et de succursales qui mobilisent, en même temps que les réserves dormantes de l'épargne privée, une armée d'employés de banque. La révolution des transports produit des effets analogues, les gares donnant naissance à des quartiers neufs, parfois même à des villes (gares de triage, nœuds ferroviaires). Le recours de plus en plus habituel à la poste, l'essor des télécommunications, l'usage des chèques postaux attirent une main-d'œuvre de renfort. La généralisation de l'instruction enrôle des bataillons d'enseignants, tandis que l'extension des attributions de la puissance publique multiplie les emplois de fonctionnaires. Or, c'est dans les villes que toutes ces catégories nouvelles de salariés trouvent du travail et aspirent à se loger. Le gonflement du secteur tertiaire, on le voit, n'a pas moins concouru à la croissance du phénomène urbain que la révolution industrielle. C'est même leur conjonction qui est directement responsable de sa poussée foudroyante.

Quelques-uns des facteurs dont nous venons de constater

qu'ils avaient travaillé à gonfler la population des villes ont, dans le même temps, apporté des solutions aux questions qui ne pouvaient manquer de surgir de ce rassemblement de masses énormes sur des points limités de l'espace. Ainsi l'aménagement d'un réseau ferroviaire de plus en plus serré rayonnant autour des centres urbains n'a pas seulement facilité et amplifié l'afflux des nouveaux citadins : il a aussi, par l'élargissement du rayon d'action, étendu le cercle où les villes puisaient leur approvisionnement et satisfait à leurs besoins alimentaires.

A la liste des facteurs d'ordre objectif, économiques ou techniques, il convient d'adjoindre des éléments de psychologie collective : en dépit des incitations précédentes, les candidats à la vie urbaine aurait été moins nombreux sans l'attirance de la ville. Si certains n'avaient pas d'autre choix pour subsister que de venir en ville chercher du travail, pour d'autres la nécessité était moins pressante : mais pour tous la ville, c'était l'espérance d'un travail régulier et rémunéré; c'était échapper à l'irrégularité des travaux agricoles, à l'incertitude des récoltes; c'était entrer dans une économie réglée par l'argent. C'était aussi parfois le mirage d'une vie plus facile ou moins monotone, d'un mode de vie plus varié, de distractions plus fréquentes. C'était s'évader du cadre étroit et contraignant de la communauté villageoise, se soustraire aux liens de dépendance hiérarchique, pour se perdre, ou se réfugier, dans l'anonymat de la grande ville. A tous les transfuges des sociétés rurales traditionnelles la ville offre à la fois la liberté et la solitude.

Au XXe siècle comme au XIXe siècle, en Afrique ou en Amérique latine aujourd'hui comme hier en Europe ou en Amérique du Nord, la ville moderne est née de l'entrecroisement de ces appels et de ces aspirations.

3. Les conséquences

L'extension dans l'espace.

Première conséquence — la plus immédiatement perceptible — de l'afflux de nouveaux habitants : les villes se sont vite trouvées à l'étroit dans leurs limites historiques, enserrées par les enceintes fortifiées héritées du Moyen Age ou de l'Ancien Régime. Elles ont tôt fait de les dilater, rasant leurs remparts, comblant les fossés, se répandant alentour, absorbant l'un après l'autre les villages des environs. Ainsi font toutes vers le milieu du siècle, Vienne en 1857 (le Ring perpétuant la trace des anciennes fortifications, comme les Ramblas à Barcelone, en 1860), Anvers en 1859, Copenhague, Cologne, et vingt autres cités historiques, qui renoncent à la protection de leurs murailles pour devenir villes ouvertes. L'exemple de Paris qui se retranche à partir de 1840 à l'abri d'une ligne continue que couvrent des ouvrages avancés, s'inscrit à contre-courant de l'évolution générale des villes européennes : il est vrai que l'enceinte prévue est dessinée à bonne distance des constructions et ménage une large ceinture entre les fortifications et la limite des quartiers habités. Quant aux villes d'Amérique, à quelques exceptions près (Québec et sa citadelle), elles n'étaient point fortifiées. Aussi purent-elles prendre leur élan sans avoir d'obstacle à renverser. Les agglomérations se développent sans plan, par cercles concentriques et auréoles successives en terrain plat, le long des couloirs naturels, au fil des cours d'eau, englobant les villages environnants, remplissant peu à peu tout l'espace interstitiel. Si le terrain est rare, comme à Manhattan, la ville s'élève en hauteur et conquiert la troisième dimension, avant d'explorer les profondeurs, en s'enfonçant dans le sol pour y creuser, ou y enfouir le réseau de canalisations indispensable à la vie d'une grande cité.

Le terrain vient bientôt à manquer : la rareté des espaces

disponibles fait monter les prix. La première poussée urbaine est contemporaine de l'ère libérale : c'est donc l'économie de marché qui règle les transactions et détermine les cours auxquels se négocient les terrains. La recherche du profit est la seule loi, excluant toute considération sociale, toute préoccupation fonctionnelle. Le renchérissement des sols donne lieu à une spéculation des plus profitables. Construction d'immeubles locatifs, placements immobiliers, lotissements de terrains jusque-là inhabités : autant de modalités de la spéculation, autant de solutions aussi pour loger vaille que vaille les nouveaux citadins. Dans ces conditions et en l'absence de toute réglementation, les villes croissent anarchiquement.

La cherté croissante des terrains situés au centre des villes entraîne la spécialisation des quartiers et leur différenciation sociale. Le centre des villes devient le lieu privilégié des affaires et des administrations. Les travailleurs, qui n'ont pas les moyens de payer les loyers élevés des beaux quartiers, sont progressivement rejetés vers la périphérie, en direction des faubourgs et des banlieues. Les villes d'Ancien Régime mêlaient les classes et les activités. Désormais la différence et l'inégalité des catégories sociales s'inscrivent aussi dans la topographie des villes : aux beaux quartiers, réservés à la bourgeoisie, s'opposent les quartiers populaires. Et cela au moment où la concentration économique et la croissance de la taille des entreprises séparent les patrons de leurs salariés. Ainsi dans tous les secteurs à la fois, le logement comme le travail, le divorce s'approfondit entre les riches et les pauvres, les employeurs et les travailleurs. Les villes modernes juxtaposent deux humanités qui se côtoient sans se rencontrer, qui vivent dans des univers totalement séparés. Aux uns les immeubles cossus dans des avenues bien dessinées, plantées d'arbres ; aux autres l'entassement dans des taudis surpeuplés, anciens hôtels qui se dégradent ou immeubles de rapport construits à la hâte en vue du seul revenu des loyers.

L'antagonisme entre locataires et propriétaires, M. Vautour, n'est pas l'aspect le moins important des conflits sociaux.

Au XXe siècle, une réaction se dessine contre les méfaits de l'individualisme et de l'absence de toute règle en matière de construction et de logement. C'est un des domaines où l'intervention de la puissance publique sera sollicitée par l'opinion et précipitée par les guerres. L'État réglementera la politique des loyers. Il encouragera aussi la construction d'immeubles à bon marché, à loyer modéré, favorisera l'accès à la propriété. Il interviendra à la fois par la loi et par le crédit. Les municipalités aussi, en particulier les municipalités socialistes, à Vienne, à Amsterdam, auront une politique de l'habitat et de la construction, édifiant de grands ensembles locatifs. L'entreprise privée se souciera aussi de loger ses employés : les compagnies de chemin de fer, les houillères construiront des cités. Aujourd'hui, l'irrésistible poussée qui continue de diriger vers les villes des millions d'hommes périme les solutions antérieures, bouscule les pratiques traditionnelles; la criante pénurie de terrains pose avec acuité la question du statut des sols et tend à remettre en cause le partage admis entre les droits de la propriété privée et les responsabilités des collectivités publiques.

Les communications internes.

L'extension en superficie fait surgir des problèmes que n'avaient pas connus les villes du passé : à mesure que l'agglomération s'étend, les distances s'agrandissent et les relations se distendent. Le pas de l'homme n'est plus à l'échelle de la cité : la traction animale le supplée d'abord, avec les omnibus tirés par des chevaux; puis c'est le tour des moyens mécaniques avec l'application aux transports urbains des inventions techniques, de la vapeur, puis de l'électricité : tramways, chemins de fer souterrains (métro). Relayant l'homme, raccourcissant les délais, ces moyens

de communication permettent aux villes de reprendre leur
élan à la conquête de l'espace environnant. Parallèlement il
devient nécessaire d'aménager le cœur des vieilles cités, de
rendre leur centre historique hérité du Moyen Age perméable
à la circulation des véhicules : l'œuvre d'un Haussmann à
Paris est à cet égard exemplaire. Si des arrière-pensées rela-
tives au maintien de l'ordre n'en sont pas absentes, elle obéit
d'abord à des préoccupations modernes d'urbanisation.

Les administrations s'emploient aussi à aménager la voirie, substituant le pavé ou l'asphalte aux revêtements antérieurs, ménageant des trottoirs en bordure des chaussées.

L'approvisionnement.

Pourvoir aux besoins de toute nature de ces concentrations humaines requiert des moyens nouveaux et devient
une préoccupation majeure des pouvoirs publics, surtout
dans les capitales politiques.

Le porteur d'eau, personnage classique, n'est plus à la
mesure des besoins des grandes cités. Établissement d'un
réseau serré de canalisations, construction d'aqueducs pour
aller chercher l'eau à distance (sous le second Empire,
Paris capte l'eau de l'Avre, du Loing, de l'Ourcq, de la
Vanne). Le problème de l'eau reste aujourd'hui une des
menaces suspendues sur l'avenir des grandes cités : elle
vient à manquer avec la croissance de la consommation
des besoins domestiques et industriels et New York est
contrainte d'instaurer de temps à autre un rationnement
rigoureux. Surtout, et la chose est plus neuve, la qualité
de l'eau est compromise par la pollution qui souille toutes
les rivières, au point d'obliger les États à improviser une
politique de l'eau.

Le ravitaillement alimentaire des villes a aussi pris des
proportions démesurées : il a fallu aller chercher de plus
en plus loin des quantités de plus en plus considérables. C'est

parfois toute l'agriculture du pays qui travaille à nourrir la métropole. Dans les grandes cités, la vie quotidienne est partiellement rythmée par la pulsation des arrivages et des évacuations. Car il n'est pas moins vital pour les cités de se défaire des déchets de leurs activités : le ramassage des ordures, leur incinération, leur répartition dans des champs d'épandage sont devenus des tâches d'intérêt général qui requièrent des services nombreux et bien outillés. Gardons-nous d'omettre l'approvisionnement en force, en lumière, en énergie et de tenir pour rien les progrès qu'ont rendus successivement possibles le gaz et l'électricité.

L'ordre et la sécurité.

L'ampleur des catastrophes naturelles est proportionnée à l'importance des concentrations urbaines et le rassemblement de ces populations y ajoute des fléaux sociaux.

Le feu est une menace permanente, ces agglomérations grandies au hasard constituant une proie sans défense pour les incendies. Le phénomène n'est pas propre à la période contemporaine : les grandes villes d'autrefois ont été périodiquement ravagées par de grands incendies (Constantinople ou le grand incendie de Londres en 1666), mais au XIXᵉ siècle le feu embrase les lieux où les citadins se donnent rendez-vous pour le commerce ou le divertissement (théâtres, opéras, grands magasins, bazar de la Charité). Les villes se protègent peu à peu contre la propagation du feu : construction en pierre ou en métal, qui réduisent les risques de combustion, élargissement des rues, constitution de services permanents de pompiers professionnels.

Les villes, singulièrement les ports, sont aussi le domaine d'élection pour les grandes épidémies : encore au XIXᵉ siècle (le choléra). Mais peu à peu celles-ci reculent, contenues, jugulées, puis prévenues par le progrès de la science, de l'hygiène, de la vaccination systématique. Les villes atteindront même un degré de salubrité souvent supérieur à celui des campagnes : la longévité s'y élève, renversant le rapport qui était auparavant à l'avantage de la population rurale.

Par contre, les fléaux sociaux suivent la croissance des villes : dans la première phase, au XIXe siècle, l'afflux des immigrants accourus de leur campagne et pour qui rien n'est prévu, l'insuffisance dramatique du logement, l'entassement dans les caves ou les courées, le chômage, chronique ou intermittent, constituent la condition des classes laborieuses qui sont aussi, au regard des notables, des classes dangereuses. De fait, la misère, le paupérisme engendrent, comme autant de conséquences inéluctables, la criminalité, la délinquance, la prostitution. Les villes en expansion sont aussi des villes malades. Puis, peu à peu, les administrations se ressaisissent, redressent la situation : les fléaux sociaux reculent pas à pas. Mais, à en juger par la société américaine contemporaine, on se demande si, dans un troisième temps, les malfaçons ne tendent pas à reprendre le dessus et à reconstituer les déséquilibres du premier âge. Ce n'est pas le seul domaine où l'on croit discerner un mouvement de bascule qui fait alterner progrès et régression : nous l'avons observé à propos des biens élémentaires, eau ou air.

4. Les conséquences sociales et politiques de la croissance urbaine

La dilatation des villes, des capitales politiques surtout, n'est pas sans incidences sur la vie politique et l'exercice du pouvoir. Sous l'Ancien Régime la résidence du monarque était parfois distincte de la capitale : Versailles à quelque distance de Paris, ou dans une ville créée de rien (Madrid). A l'époque contemporaine, à quelques exceptions près

(Washington), le siège du pouvoir se confond ordinairement avec la grande ville et cette proximité le met à la merci des mouvements d'humeur de la population urbaine, plus instable que la paysannerie, plus accessible aussi aux mots d'ordre. La pression des foules urbaines sur le pouvoir est une donnée constitutive du fonctionnement des régimes politiques. La plupart des régimes déchus ont succombé à des insurrections urbaines. Le romantisme de la révolution s'est incarné dans la guerre de rue, la barricade en étant le symbole, avant que, tout récemment, il ne soit relayé par le mythe de la guérilla rurale (les maquis, la guerre révolutionnaire en Chine, au Viêt-nam, en Algérie).

La crainte conduit les gouvernements à prendre des dispositions préventives, à multiplier les précautions : grands travaux visant à ouvrir des percées qui puissent être parcourues par les charges de cavalerie ou balayées par l'artillerie ; substitution du macadam au pavé, pour priver l'insurrection de son arsenal privilégié ; constitution de forces de police préposées au maintien de l'ordre. Les pouvoirs publics sont aussi tentés de placer les capitales sous un régime de tutelle administrative et de surveillance spéciale.

Cependant, un autre phénomène joue en sens contraire : le suffrage universel. En remettant un bulletin de vote à tous les citoyens, il condamne implicitement le recours à la violence pour changer les institutions : tout électeur dispose désormais de par la constitution du moyen de modifier légalement le cours de la politique et de changer les détenteurs du pouvoir. L'insurrection cesse d'être le droit sacré que proclamait le droit révolutionnaire pour devenir violation du droit des citoyens. Parallèlement l'instauration et la pratique du suffrage universel annulent la prépondérance de la ville, écrasée sous le nombre, aussi longtemps du moins que la paysannerie conserve la prépondérance numérique. Ce n'est pas simple hasard si, en

France par exemple, la Commune est la dernière insurrection parisienne et qu'elle aboutisse à l'écrasement à l'époque où le suffrage universel entre dans les mœurs et devient le principe régulateur de la vie politique. Pas davantage une pure coïncidence si la révolution d'octobre 1917 illustre le schéma de l'insurrection urbaine victorieuse dans un pays, la Russie, qui n'a pas encore fait l'apprentissage de la vie politique démocratique et pratiqué le suffrage universel.

A côté des inquiétudes politiques, l'administration quotidienne de ces grandes cités pose aux responsables des problèmes pour la solution desquels les institutions municipales traditionnelles et les divisions territoriales héritées du passé se révèlent inadéquates. A la suite du mouvement d'extension spontanée, les villes sont conduites à intégrer, à unifier institutions et collectivités. Paris absorbe en 1860 toutes les localités comprises entre l'enceinte des Fermiers-généraux et la ceinture des fortifications et à redistribuer l'ensemble entre les vingt nouveaux arrondissements. L'agglomération londonienne se donne avec le London County Council un organe approprié pour l'administration de l'ensemble. L'organisation des districts urbains, la formation de communautés urbaines, le remaniement des départements s'inscrivent dans le même effort pour adapter l'administration à la croissance urbaine.

Les administrations sont amenées par la pression de l'opinion autant que par les nécessités objectives à intervenir de plus en plus directement dans le fonctionnement des services communs. Ce fut un des objectifs du socialisme municipal que de substituer en ce domaine à l'entreprise privée des services municipaux, obéissant au souci de l'intérêt général plutôt qu'à la recherche du profit (rachat des services concédés). La technicité croissante des tâches exigeant une compétence accrue, les grandes cités américaines ont peu à peu abandonné le système des dépouilles, ou en ont limité le champ, pour confier une part des responsabilités à des spécialistes qualifiés. Pour exercer toutes ces tâches, les administrations municipales ont besoin de ressources de plus en plus importantes et le problème des finances locales est aujourd'hui un des plus aigus.

L'extension foudroyante du phénomène urbain a encore d'autres conséquences dont les effets culturels ne sont pas les moins décisifs. Pendant des siècles, les villes étaient restées profondément intégrées à leur environnement rural : leurs habitants demeuraient liés par leurs attaches, leurs goûts, leurs habitudes au monde de la terre. Au cours des dernières décennies, ce n'est pas seulement le rapport de nombre qui a changé : le sens des influences s'est inversé. La ville s'est comme émancipée de sa dépendance à l'égard de la société rurale : elle est devenue le modèle admiré, imité, reproduit qui, à son tour, déteint sur la population rurale. L'agriculture s'urbanise en même temps qu'elle s'industrialise et se commercialise. L'enseignement est conçu par et pour des citadins. Le genre de vie dont la ville est le creuset, le mode d'organisation qui y a pris naissance deviennent universels. Les sociétés contemporaines tendent à devenir des sociétés urbaines, alors que depuis des millénaires la terre était la matrice de toute vie et de toute culture. Le passage des sociétés terriennes à un nouveau mode d'existence sociale ordonné autour du phénomène urbain, c'est peut-être le plus grand fait historique du xxᵉ siècle. C'est, à coup sûr, une mutation décisive de l'histoire des hommes vivant en société.

8

Le mouvement des nationalités

Avec l'étude de la succession des courants qui dessine la trame de l'histoire politique et sociale du XIXᵉ siècle, nous revenons à l'axe principal de notre réflexion.

Après le mouvement qui empruntait à l'idée de liberté son principe et son énergie, après le courant démocratique qui transforma progressivement les régimes, les sociétés, les mœurs même, après la conjonction du mouvement ouvrier et des écoles socialistes, il nous reste à examiner un quatrième élément qui n'a pas été moins déterminant. Il est plus difficile de lui donner un nom car le terme de nationalisme, auquel on songe spontanément aujourd'hui, est un anachronisme pour l'époque, pour les contemporains qui l'appliquent davantage à une doctrine politique à l'intérieur des pays qu'à ce mouvement des nationalités. Nous emploierons donc, concurremment, les expressions d'idée nationale, de sentiment national, de mouvement des nationalités, qui soulignent toutes le caractère universel d'un phénomène qui intéresse à la fois les idées, les sentiments, les forces politiques.

1. Caractères du mouvement des nationalités

Ce phénomène composite tire son unité du fait national. L'Europe juxtapose des groupements linguistiques, ethniques, historiques, donc de nature et d'origine dissemblables qui se conçoivent comme des nations. Tout comme le mouvement ouvrier est né à la fois d'une condition sociale qui constitue la donnée objective du problème et d'une prise de conscience de cette condition par les intéressés, le mouvement des nationalités suppose à la fois l'existence de nationalités et l'éveil du sentiment d'appartenance à ces nationalités. Le phénomène ne compte donc comme force, ne devient un principe de changement, qu'à partir du moment où il s'inscrit dans les mentalités, dans les sensibilités, où il est perçu comme un fait de conscience, un fait de culture.

Comme tel, il intéresse l'être tout entier, il s'adresse à toutes les facultés de l'individu, à commencer par son intelligence. Le mouvement des nationalités au XIXᵉ siècle a été en partie l'œuvre d'intellectuels grâce aux écrivains qui contribuent à la renaissance du sentiment national, aux linguistes, philologues et grammairiens qui reconstituent les langues nationales, les épurent, leur donnent leurs lettres de noblesse, aux historiens qui cherchent à retrouver le passé oublié de la nationalité, aux philosophes politiques (l'idée de nation étant au cœur d'un certain nombre de systèmes politiques). Le mouvement touche aussi la sensibilité, peut-être davantage encore que l'intelligence et c'est en tant que tel qu'il devient une force irrésistible, qu'il suscite un élan.

Enfin, il fait intervenir des intérêts et nous retrouvons les deux approches idéologique et sociologique conjuguées. En effet les intérêts jouent quand par exemple le développement de l'économie appelle le dépassement des particularismes, la réalisation de l'unité. C'est ainsi qu'il faut considérer la place du Zollverein dans l'unification allemande. En Italie, c'est la bourgeoisie commerçante ou industrielle qui souhaite l'unification du pays où elle voit la possibilité d'un marché plus large et d'un niveau de vie supérieur.

Ainsi, à la source de ce mouvement des nationalités, confluent la réflexion, la poussée du sentiment et le rôle des intérêts. Politique et économie interfèrent étroitement et c'est leur interaction même qui fait la force d'attraction de l'idée nationale puisque, s'adressant à l'homme tout entier, elle peut mobiliser toutes ses facultés au service d'une grande œuvre à réaliser, d'un projet de nature à exalter les énergies et enfiévrer les esprits.

Dans une perspective plus large, par comparaison avec le libéralisme, la démocratie et le socialisme, le mouvement des nationalités couvre dans le temps une période plus longue, s'étendant sur tout le XIXe siècle alors que les trois mouvements s'y succèdent. Les trois phénomènes apparaissent à la suite les uns des autres tandis que le mouvement national est le contemporain des trois à la fois. Dès 1815 le fait national s'affirme, et avec quelle force! A la veille de 1914, il n'a rien perdu de son intensité; en Europe, il se prolongera bien au-delà du conflit et trouvera même un cadre élargi avec les mouvements de décolonisation qu'on peut y rattacher.

A cette première différence dans le temps s'en ajoute une autre, dans l'espace. Alors que le domaine du libéralisme reste longtemps limité à l'Europe de l'Ouest, tous les pays — ou presque — ont connu des crises liées au fait national, même ceux où l'unité nationale était l'aboutissement d'une histoire plusieurs fois séculaire. Presque tous connaissent des problèmes de nationalité : la Grande-Bretagne avec la question d'Irlande qui prend une gravité croissante et devient un problème intérieur dramatique; la France, avec la perte de l'Alsace et de la Lorraine en 1871, garde jusqu'à la guerre de 1914 la nostalgie des provinces perdues; l'Espagne, où le régionalisme basque, le particularisme catalan entrent en lutte avec la volonté d'unification et de centralisation de la monarchie.

S'il en est ainsi pour les pays de l'Europe de l'Ouest, où l'unité nationale est ancienne, à plus forte raison quand on se déplace vers l'est où les frontières sont encore mouvantes, où la géographie politique n'a pas pris sa forme définitive, où les nationalités sont à la recherche d'elles-mêmes et en quête d'expression politique. L'Italie et l'Allemagne pour qui le XIXᵉ siècle est le siècle de leur unité en devenir, l'Autriche-Hongrie, les Balkans, l'Empire russe, avec les provinces allogènes qui regimbent contre la russification, ont des problèmes de nationalités. Même les pays apparemment les plus paisibles connaissent des problèmes de nationalité, tels le Danemark avec la guerre des duchés en 1862, la Suède qui se démembre en 1905, la Norvège faisant sécession. Hors d'Europe, on peut mentionner le nationalisme des États-Unis, les mouvements d'Amérique latine, le Japon où le sentiment national inspire l'effort de modernisation, la Chine, où la révolte des Boxers en 1900 est un phénomène nationaliste.

Le fait national apparaît donc comme universel et ce n'est pas sa moindre singularité que ce mouvement, qui est l'affirmation de la particularité, soit peut-être le fait le plus universel de l'histoire. Il est présent dans la plupart des guerres du XIXᵉ siècle. C'est un trait qui différencie les relations internationales avant et après 1789. Dans l'Europe d'Ancien Régime, les ambitions des souverains étaient au point de départ des conflits. Au XIXᵉ siècle, le sentiment dynastique a fait place au sentiment national, parallèlement au transfert de souveraineté de la personne du monarque à la collectivité nationale. Les guerres de l'unité italienne, de l'unité allemande, la question d'Orient, tout cela procède de la revendication nationale. Le fait national est, au XIXᵉ siècle, avec le fait révolutionnaire, le facteur décisif de bouleversement.

Le fait national, sans doute parce qu'il s'étend sur une période plus longue que celle de chacun des trois autres courants, probablement aussi parce qu'il concerne des pays fort différents les uns des autres, n'est marqué par aucune idéologie déterminée, n'a de lien substantiel avec aucune des trois idéologies, n'a pas une couleur politique uniforme. Pourtant, l'idée nationale ne se suffit généralement pas à elle-même : elle propose à l'intelligence politique une sorte de cadre qui demande à être rempli. L'idée nationale ayant besoin de s'associer à d'autres idées politiques, de s'amalgamer avec des philosophies, peut entrer, de ce fait, dans des combinaisons diverses, qui ne sont pas déterminées à l'avance. L'idée nationale peut faire bon ménage indifféremment avec une philosophie de gauche ou une idéologie de droite. Du reste entre 1815 et 1914 le nationalisme a contracté alliance avec l'idée libérale, avec le courant démocratique, assez peu avec le socialisme dans la mesure où celui-ci se définit comme internationaliste bien que, dans l'entre-deux-guerres, se dessineront des conjonctions imprévues entre idée socialiste et idée nationaliste. Cette sorte d'indétermination du fait national, cette possibilité de pratiquer des alliances de rechange expliquent les variations dont l'histoire offre plus d'un exemple. Elles expliquent notamment qu'il y ait deux nationalismes, l'un de droite et l'autre de gauche, l'un plutôt aristocratique et l'autre populaire : le premier a des inclinations conservatrices et traditionalistes, puise ses dirigeants et ses cadres parmi les notables traditionnels, le second pousse à la démocratisation de la société et recrute dans les couches populaires.

2. Les deux sources du mouvement

Cette ambiguïté du fait national se manifeste dès le commencement dans la dualité des sources du nationalisme.

La Révolution française.

Première par la chronologie, première par l'importance de ses effets, la Révolution française a suscité le nationalisme moderne de trois façons au moins. En premier lieu par l'influence de ses idées, l'indépendance et l'unité nationales découlant directement des principes de 1789. La souveraineté de la nation ne vaut pas seulement dans l'ordre interne, elle a encore des conséquences dans les relations extérieures. Le droit des peuples à disposer d'eux-mêmes est le prolongement de la liberté individuelle et de la souveraineté nationale. La Révolution agit aussi par son inspiration qui tend à nier le passé, à en récuser la légitimité, qui dissout les édifices historiques, l'ordre social hiérarchique de l'Ancien Régime, mais aussi les constructions politiques des monarques, partant du principe que ce n'est pas parce que des peuples ont été amenés à vivre ensemble par la volonté de tel ou tel souverain qu'ils doivent pour autant rester indéfiniment associés. On voit ainsi s'affronter deux principes différents : celui du droit des peuples à disposer d'eux-mêmes, qui n'admet pas d'autre fondement à l'existence des collectivités politiques que l'adhésion libre, et le principe d'historicité qui reconnaît à la durée une légitimité.

Le deuxième mode d'influence de la Révolution tient à l'exemple donné, la nation française tenant tête à l'Europe coalisée des souverains, montrant ce que peut le patriotisme de « la grande nation », comme se désignent les Français eux-mêmes. *La Marseillaise* devient le chant des patriotes de toute l'Europe. Les jacobins des autres pays rêvent, à leur tour, de libérer leur patrie. La Révolution appuie son exemple par l'intervention armée, libérant certains pays de dominations étrangères, réalisant temporairement leur unité : c'est entre 1792 et 1815 que l'Italie du Nord et la Pologne ont fait l'expérience de l'unité ou de l'indépendance.

La Révolution agit enfin par les réactions qu'elle provoque, et c'est peut-être cette forme d'action qui a le plus contribué à l'éveil du sentiment national. Dans l'Europe dominée par les Français, sous l'administration française, sous l'occupation militaire, en réaction contre les contraintes de tous ordres qu'elle impose, telles les réquisitions, la conscription, la fiscalité, s'éveillent peu à peu le sentiment national, l'aspiration à l'indépendance, le désir de chasser les envahisseurs. Ainsi l'Espagne s'insurge contre le souverain étranger imposé par la force. En 1809, les montagnards du Tyrol se soulèvent, à l'appel d'un aubergiste d'Innsbruck, Andreas Hofer, qui sera fusillé par les Français, mais dont la mémoire sera honorée comme celle d'un martyr de l'indépendance de l'Autriche. En Russie, la guerre de 1812 prend la tournure d'un soulèvement du peuple pour libérer la terre russe, d'un sursaut du patriotisme élémentaire — magnifiquement célébré par Tolstoï dans *Guerre et Paix* — qui prend conscience de sa réalité au contact de l'envahisseur. En 1813, une partie des contingents levés en Allemagne et incorporés dans l'armée française font défection. Le nom de « bataille des nations » donné à la bataille de Leipzig, en 1813, est symbolique, les Français trouvant désormais en face d'eux des nations insurgées et non plus seulement des souverains. Cette bataille, au résultat indécis, est en quelque sorte la réplique de celle livrée vingt ans plus tôt, à Valmy, par les soldats de la Révolution aux armées mercenaires, et où les soldats de la Révolution, au cri de « vive la nation », avaient fait la démonstration de ce que peut le sentiment national. Le passage du singulier, du « vive la nation » de Valmy, au pluriel de Leipzig, illustre les conséquences indirectes de la Révolution. Le grand empire de Napoléon succombe aux nationalités conjuguées.

Par ses principes et son exemple, par son action positive autant que par les réactions d'opposition qu'elle a provoquées, la Révolution a suscité un nationalisme démocratique.

Le traditionalisme.

Le fait national procède, au XIXᵉ siècle, d'une seconde source qui ne doit à peu près rien à la Révolution, qui n'emprunte ni à la démocratie ni à la liberté : c'est l' « historicisme » qui inspire la prise de conscience des particularités nationales. Si le nationalisme issu de la Révolution est plus tourné vers l'universel, l'historicisme met l'accent sur la singularité des destinées nationales, l'affirmation de la diversité; et il propose aux peuples de retourner à leur passé, de cultiver leurs particularismes, d'exalter leur spécificité.

Ce second courant est étroitement lié à la redécouverte du passé, notamment sous l'influence du romantisme. A l'universalisme abstrait de la Révolution, il oppose les particularités concrètes des passés nationaux, à l'abstraction rationaliste et géométrique de la Révolution, l'instinct, le sentiment et la sensibilité. Puisant dans la connaissance du passé et le culte des traditions, il se définit par l'histoire, la langue et la religion.

L'histoire apporte la redécouverte du passé, un passé antérieur à la Révolution, et même aux temps modernes. Par-delà le cosmopolitisme du XVIIIe siècle, et la rupture de la chrétienté consécutive à la Réforme, on remonte aux traditions du Moyen Age. On a pu dire du XIXe siècle qu'il était le siècle de l'histoire, le romantisme mettant à la mode la couleur historique. Mais ce n'est que l'expression littéraire et artistique d'une tendance plus profonde, d'une attitude relativement nouvelle de l'homme à l'égard du passé du groupe auquel il appartient.

Dans le même temps on ressuscite la langue nationale en laquelle on ne voit pas seulement un moyen de communication mais une structure mentale, ce par quoi un peuple conserve son âme. Au XIXe siècle, la langue prend une place croissante et dans les recherches érudites et dans les luttes politiques. Philologues et grammairiens s'emploient à retrouver la langue originelle, à l'épurer et à faire ou à refaire, de ce qui s'était dégradé en dialectes, des langues de culture. C'est souvent par là, notamment pour les nationalités slaves de l'empire des Habsbourg, que débute le mouvement national. En Bohême, en Slovaquie, chez les Slaves du Sud, des philologues s'attachent à convaincre leurs compatriotes qu'ils peuvent parler sans honte la langue populaire, qu'elle vaut bien celle de l'occupant, qu'elle a ses titres de gloire, ses lettres de noblesse. On retrouve les épopées nationales, les chants traditionnels, que l'on édite. Les minorités se remettent à parler leur langue et boudent la langue de l'oppresseur, ce que, bien entendu, les nationalités dominatrices n'acceptent pas volontiers. Aussi la possibilité de parler sa langue devient-elle un des enjeux des batailles politiques. Obtenir la reconnaissance de leur langue à parité avec la langue officielle dans l'administration, devant les tribunaux, dans l'armée, dans les moyens de transport devient une des revendications les plus universelles de tous les partis nationalistes. Toutes sortes de péripéties animeront, en Transleithanie, les luttes entre les Hongrois et les nationalités slaves sur la langue qui sera employée dans les chemins de fer, pour les plaques indicatrices, pour les noms de gares, à l'école, au catéchisme. Dans les provinces polonaises soumises à la Prusse, les enfants feront la grève du catéchisme parce que le gouvernement leur interdit de l'apprendre en polonais. La langue constitue ainsi un des points d'appui du sentiment national.

Quand l'oppresseur pratique une autre religion que celle de la nationalité soumise, religion et nationalisme se confondent. Ainsi s'explique ce qu'il y a de paradoxal à voir des religions universelles, tels le catholicisme ou le protestantisme, devenir pour certains peuples, le symbole de leur singularité nationale et la ligne de résistance de leur particularisme contre le dominateur. C'est ainsi que la révolution de 1830, qui oppose la Belgique catholique aux Pays-Bas protestants, est menée autant par les catholiques contre une monarchie calviniste que par les libéraux contre une domination étrangère. C'est aussi la signification de la lutte des chrétiens des Balkans contre l'Empire ottoman, des Slaves orthodoxes — Serbes notamment — contre l'Autriche ou la Hongrie catholiques. C'est encore le cas de l'Irlande catholique contre l'Angleterre protestante, de la Pologne catholique contre la Russie orthodoxe ou la Prusse luthérienne. Comme on le voit, le plus souvent les nationalités soumises pratiquent le catholicisme ou l'orthodoxie. Au xixe siècle, il est rare qu'en Europe les minorités protestantes soient soumises à la domination d'États catholiques. C'est donc le catholicisme qui est appelé à devenir le symbole de la résistance nationale contre une domination étrangère.

L'histoire, la langue et la religion, telles sont les lignes mais aussi l'enjeu des affrontements.

Si de l'approche intellectuelle nous passons à l'approche

sociologique, ce second courant du nationalisme, précisément parce qu'il exalte les traditions historiques et se réfère à un passé aristocratique, féodal et religieux, va prendre appui sur les forces sociales traditionnelles.

Ainsi, si le premier nationalisme inclinait à gauche et appelait de ses vœux une société libérale ou démocratique, le second incline à droite et tend à conserver ou à restaurer un ordre social et politique d'Ancien Régime. Il prend appui sur l'Église. Ses chefs viennent de l'aristocratie foncière comme c'est le cas en Europe orientale où de grands propriétaires prennent la tête du mouvement national en Hongrie, en Silésie, en Galicie, en Pologne, contre la centralisation autrichienne, russe ou prussienne. Leur programme politique s'en ressent qui ne prévoit pas de transformations radicales, mais seulement le retour au passé, le rétablissement de la nationalité dans ses droits historiques.

Le programme du nationalisme hongrois ou tchèque réclame la restauration du royaume de Hongrie, de la couronne de saint Étienne, du royaume de saint Venceslas en Bohême, souhaite la remise en vigueur des diètes où la grande noblesse pouvait s'exprimer, revendique ce qu'on appelle l'ancien droit d'État. En bref, l'État dont il rêve, c'est l'État traditionnel et médiéval et non l'État moderne, du XVIIIᵉ ou du XIXᵉ siècle.

Ce courant nationaliste en réaction contre la centralisation administrative et contre l'œuvre du despotisme éclairé, auquel il reproche d'être niveleur, égalitaire et unitaire, milite pour le régionalisme, le rétablissement des anciennes coutumes, des traditions historiques. C'est ordinairement par là qu'a débuté dans l'Europe de l'Est l'éveil du sentiment national.

Si, à l'ouest, le nationalisme hérité de la Révolution est premier, à l'est de l'Europe c'est celui qui trouve sa source dans l'historicisme et le romantisme qui s'affirme d'abord.

Nous retrouvons une fois de plus la dissymétrie, la disparité essentielle entre deux Europes, l'une plus ouverte aux changements et tournée vers l'avenir, l'autre plus fidèle au passé et qui ne s'engage qu'avec défiance dans le présent.

La dualité du nationalisme explique la complexité de son histoire et l'ambivalence des phénomènes.

3. L'évolution du mouvement entre 1815 et 1914

L'histoire de l'idée nationale au XIXᵉ siècle tient presque toute dans les oscillations entre le nationalisme de gauche et le nationalisme de droite, entre la démocratie et la tradition, la tendance qui l'emporte dépendant des situations historiques et locales.

Dans un premier temps, au congrès de Vienne en 1815, souverains et diplomates, tout occupés à détruire l'œuvre de la Révolution, à en extirper les principes, n'ont pas tenu compte, dans la reconstruction de l'Europe, de l'aspiration à l'indépendance et à l'unité qui avait soulevé les peuples contre Napoléon et les avait rangés aux côtés des souverains. Les Allemands sont déçus par le retour au morcellement, les Italiens plus encore par la domination étrangère.

Le congrès de Vienne opprimant tout à la fois le sentiment national et l'idée libérale suscite du même coup l'action concomitante des mouvements des nationalités et des mouvements d'opposition à la Sainte-Alliance. En effet, l'alliance, entre 1815 et 1830-1840, entre le mouvement des nationalités et l'idée libérale, provient de la méconnaissance par les diplomates des aspirations nationales. Les deux mouvements se confondent désormais, le vocabulaire même ne les distingue pas puisque, quand on parle de « patriotes » en 1815 ou 1820, on ne sait s'il s'agit de libéraux qui luttent pour l'instauration d'un régime de liberté contre les monarchies absolues, ou de nationaux qui veulent affranchir leur pays d'une domination étrangère.

Les révolutions de 1830 présentent ce double caractère de révolutions libérales et de révolutions nationales. Là où elles réussissent, elles instituent l'indépendance et fondent la liberté. C'est ainsi que la Belgique se soustrait à la domination de La Haye et se donne une constitution libérale en 1831, la tendance libérale ayant imposé son idéologie au mouvement national. S'il est vrai que le fait national n'est qu'un moule en creux qui appelle une idéologie, ce moule est alors rempli par l'idéologie libérale.

Dans un second temps, parallèlement à la relève de l'idée libérale par le sentiment démocratique, le nationalisme de libéral devient démocratique. Entre 1830 et 1850, les mouvements de type national sont presque partout portés par une idéologie démocratique. En Italie, la « Jeune Italie » qu'anime Mazzini combine l'aspiration à une République démocratique et celle à l'indépendance et à l'unité de l'Italie. En Pologne, la révolution de 1830 est menée conjointement par deux courants, les blancs, aristocrates, fidèles au passé et à la tradition, et les rouges, solidaires du patriotisme polonais et des principes révolutionnaires.

Cette conjonction de la démocratie et du fait national s'épanouit avec les révolutions de 1848, et quand on parle à leur propos de « printemps des peuples », on signifie à la fois l'émancipation nationale et l'affirmation de la souveraineté du peuple. Le mouvement national est démocratique, et réciproquement les révolutions démocratiques tendent la main aux mouvements nationalistes de l'extérieur. En Allemagne par exemple, le Parlement de Francfort qui exprime l'unité nationale adopte un programme démocratique. En Hongrie, Kossuth, qui incarne la volonté d'indépendance contre la domination de Vienne, proclame la République. A Rome, le triumvirat institue une démocratie, et, à Venise, Daniel Manin lutte à la fois pour l'indépendance de Venise — soustraite au joug de l'Autriche — et pour la République.

Le nationalisme est tantôt unitaire et tantôt séparatiste, selon les situations géographiques. Mais la distinction reste mineure, par rapport à la distinction fondamentale entre les deux inspirations, traditionaliste ou démocratique. En 1848, les nationalismes se rattachent à peu près tous à la tradition démocratique.

Ces mouvements échouent rapidement, la plupart sont écrasés en 1849-1850, et l'Europe du congrès de Vienne, l'Europe des souverains, de la réaction policière et administrative, est restaurée, mais pour peu de temps car ils vont aboutir à terme, dix ou vingt ans plus tard. C'est la troisième vague, 1850-1870, la plus décisive (car les deux précédentes n'ont abouti qu'à des résultats mineurs), réussissant là où les deux premières avaient tenté sans succès. Cette troisième génération du mouvement des nationalités se distingue des précédentes par trois traits principaux.

Le principe des nationalités est désormais admis comme un principe de droit international. C'est une des règles de la politique française du second Empire, un des critères pour la reconnaissance des gouvernements : émancipation des nationalités sujettes, réunion des fragments dispersés d'une même nationalité. C'est en vertu de ce principe que les principautés danubiennes soustraites à l'Empire ottoman peuvent fusionner. Napoléon III a songé à l'appliquer à l'Europe scandinave, à l'Europe ibérique et c'est aussi le principe qui inspire en Algérie sa politique dite du royaume arabe qui, fondée sur la coexistence des deux peuples, dont il est le souverain, reconnaît l'existence d'une personnalité algérienne.

Si ces mouvements prennent appui sur les peuples, c'est parfois au détriment de ia liberté individuelle et c'est là la mutation la plus profonde. En Allemagne, pour réaliser autoritairement l'unité, Bismarck prend appui sur le peuple contre les particularismes régionaux. Les mouvements nationaux se détournant de l'inspiration libérale de la première moitié du XIXe siècle, un schisme se produit en 1862 dans le parti libéral : la majorité des libéraux prussiens sacrifie la liberté à la réalisation de l'unité nationale et prend le nom de nationaux-libéraux. Entre les libertés parlementaires et l'unité nationale, la plupart des libéraux optent pour la nation contre la liberté. Ceci est lourd de conséquences pour l'avenir politique de l'Allemagne.

On croit moins au soulèvement spontané du peuple, à l'élan irrésistible des masses, on compte davantage sur les moyens classiques, la guerre étrangère, la diplomatie traditionnelle, les alliances extérieures; c'est l'abandon de la mythologie romantique de l'insurrection, du peuple en armes, de la levée en masse. Bismarck aboutit à ses fins au prix de trois guerres et grâce à des alliances extérieures contre l'Autriche et la France. L'unité italienne, qui a échoué tant qu'elle tentait de se réaliser par le soulèvement du peuple italien, réussit du jour où le Piémont contracte alliance avec la France, ou s'allie avec l'Allemagne de Bismarck.

En 1870, la carte de l'Europe est profondément modifiée. De nouvelles puissances ont surgi au cœur de l'Europe, nées de l'aspiration à l'indépendance et à l'unité nationale.

Il s'en faut que tous les problèmes nationaux soient réglés pour autant, l'Europe garde au flanc des plaies encore vives, qui sont autant de germes de conflits. En Autriche, le dualisme adopté en 1867, qui est une tentative des Autrichiens d'associer la nationalité magyare à la direction de l'Empire, loin de résoudre le problème des nationalités, fournit un aliment supplémentaire à la revendication. Ni les Tchèques, ni les Croates, ni les Transylvaniens ne conçoivent pourquoi on leur refuserait ce que les Autrichiens viennent d'accorder aux Hongrois. La Russie a des problèmes du même ordre avec les nationalités allogènes du pourtour de l'empire. Le sentiment national polonais n'est pas éteint, malgré l'échec de deux révolutions en 1830 et en 1863. Quant à l'Empire ottoman, les problèmes de nationalités sont son cauchemar permanent. La question d'Orient est posée par l'existence de nationalités balkaniques, et les étapes successives du règlement marquent autant de phases de leur émancipation progressive. La constitution de la Bulgarie en une nationalité autonome, en 1878, les guerres balkaniques de 1912 et 1913 consomment la ruine de l'Empire ottoman réduit en Europe à Constantinople et à sa banlieue. La question irlandaise rebondit du fait du terrorisme. Et les guerres qui ont permis l'achèvement de l'unité allemande et de l'unité italienne, en 1860-1870, ont créé de nouveaux sujets de discorde, avec l'annexion de l'Alsace et de la Lorraine à l'empire allemand. L'irrédentisme italien revendique le Trentin, Trieste, l'Istrie, la côte dalmate qui manquent encore à l'unité italienne.

Vers la fin du XIXᵉ siècle, on voit s'amorcer des rivalités ethniques plus subtiles. Des nationalités du même rameau ethnique découvrent leurs affinités, prennent conscience des solidarités qui les lient et esquissent des regroupements en fonction de ces affinités. C'est, à l'intérieur de la double monarchie austro-hongroise, la coalition des Slaves du Sud, puis entre Slaves du Sud et Slaves du Nord et, enfin, le rapprochement entre toutes les nationalités slaves de l'Europe orientale et le grand frère russe. Contre le panslavisme, se dessine un bloc austro-allemand qui rêve de réaliser le programme du pangermanisme.

L'affrontement panslavisme contre pangermanisme est une des composantes du conflit mondial et porte en germe la ruine des constructions historiques, des édifices dynastiques de l'empire des Habsbourg. Le mouvement des nationalités triomphera en 1918-1920 du droit historique.

Le mouvement des nationalités déborde, dès avant 1914, du cadre de l'Europe : à l'intérieur de l'Empire ottoman, un mouvement de rénovation nationaliste animé par les « Jeunes Turcs » s'empare du pouvoir en 1908.

Dans les dernières années de la période, l'idée nationale connaît un dernier avatar en changeant de contenu, dans certains pays, et renversant ses alliances. Depuis le début du XIXᵉ siècle, le nationalisme se situait plutôt à gauche. La tendance dominante avait été successivement libérale et démocratique ; même, avec Bismarck, elle ne répudiait pas complètement la démocratie. Dans l'empire des Habsbourg également, un nationalisme d'inspiration démocrate s'exprime, notamment chez les Jeunes Tchèques. Mais en d'autres pays le nationalisme devient l'allié des conservateurs. Cette évolution est le produit de deux types de causes dont en premier lieu les événements internationaux. C'est le cas pour la France où, au lendemain de la défaite de 1871 et de l'amputation territoriale, se substitue au nationalisme de 1848 expansif et généreux, spontanément universaliste et fraternel, un nationalisme de repli et de recueillement, un nationalisme blessé, amer, meurtri, angoissé par le sentiment de la décadence et qui se défie de l'étranger. Alors que la révolution de 1848 tendait la main aux patriotes italiens, proclamait la paix au monde, le nationalisme français d'après 1870, celui qui inspire le boulangisme, la pensée de Maurras ou de Barrès, est un nationalisme susceptible, volontiers xénophobe et exclusif. Cette mutation prépare le glissement du nationalisme européen vers des théories autoritaires et vers le fascisme après 1918.

Le socialisme, indirectement, a beaucoup contribué à cette évolution du nationalisme : les doctrines et les mouvements se définissent autant par opposition que positivement. Ainsi, au lendemain du congrès de Vienne, si l'idée nationale, la cause des patriotes se solidarise avec l'idée libérale, c'est en partie parce que le congrès de Vienne s'est opposé à l'une et à l'autre, et constitue l'ennemi commun. Or, à la fin du XIXe siècle, avec la naissance d'une conscience de classe ouvrière et la diffusion croissante des idées socialistes, le nationalisme se trouve rejeté plus à droite.

La signification internationaliste du socialisme n'est pas un accident mais découle bien au contraire de sa doctrine et de ses structures. Le socialisme se définit comme international, il conteste au fait national toute légitimité. La nation, le nationalisme n'étant pour lui que les alibis du capitalisme, de la domination bourgeoise, d'un État de classe, il entend lutter contre le nationalisme, le militarisme, « l'internationale sera le genre humain ».

En présence de ce nouveau « partenaire », le sentiment national, qui faisait jusque-là bon ménage avec la démocratie, opère un changement de front et glisse à droite. Pour combattre le socialisme, il dénoue ses liens avec la démocratie, combat toutes les forces qui lui paraissent extra ou supranationales, développant xénophobie et antisémitisme. Du coup, le nationalisme qui est toujours ce cadre accueillant à toutes les idéologies devient réceptif aux doctrines réactionnaires, contre-révolutionnaires. Il apparaît comme l'allié de la conservation politique et sociale.

L'évolution n'est pas partout aussi accentuée. Elle ne se fait guère sentir dans les nationalités qui en sont encore à lutter pour leur indépendance. Mais dans les pays où le sentiment national a depuis longtemps gagné la partie, on voit le nationalisme se lier, en Angleterre, avec le parti conservateur de Disraeli et Chamberlain. En France, depuis le boulangisme et l'affaire Dreyfus, le nationalisme est synonyme de réaction politique et sociale.

La droite étant nationaliste, la gauche internationaliste, quand survient la guerre de 1914, le comportement des forces internationalistes dans l'épreuve de force reste une des inconnues de la conjoncture.

Ainsi, si le sentiment national et l'idée nationale ont été, au XIXᵉ siècle, un ressort décisif, un principe d'action essentiel contre des États oppresseurs, ils ont été aussi à l'origine de la plupart des conflits internationaux. En vérité, le fait national a été un agent déterminant de la transformation de l'Europe.

9

Religion et société

1. L'importance du fait religieux

Le fait religieux, quoi qu'on pense de ses origines et de son contenu, est un aspect important de la vie des sociétés contemporaines et qui contribue à les spécifier. Ce n'est pas le lieu de trancher la question de sa nature et de sa réalité : la croyance religieuse n'est-elle que le reflet de l'appartenance sociale, l'expression d'une solidarité avec un certain ordre, ou a-t-elle bien une existence autonome, irréductible à d'autres phénomènes? En dépit des affirmations de certains systèmes philosophiques, le choix entre ces deux réponses reste affaire de préférences personnelles et de convictions, non pas la conclusion d'une observation proprement scientifique. Rien dans l'examen des réalités positives n'autorise à opter pour l'une plutôt que pour l'autre. Contentons-nous donc de prendre acte de l'existence d'un fait religieux qui a tenu et tient encore une grande place dans l'histoire des sociétés et a entretenu des rapports nombreux et divers, avec les autres composantes de la vie collective.

Ce qui en effet retiendra notre attention, ce n'est pas l'intimité de la conscience personnelle, le contenu de la foi, mais le *facteur religieux* en tant qu'il déborde la vie privée, *comme phénomène social*. Il le fait de plus d'une façon et pour diverses raisons. D'abord l'adhésion à une croyance religieuse a naturellement des effets sur le comportement des individus en société : elle est de nature à modifier leur attitude, à infléchir leur vote, à peser sur leurs opinions politiques ou sociales. De plus, le fait religieux comporte ordinairement une dimension sociale : il se vit dans une communauté. La foi est enseignée, reçue, vécue dans une Église. Elle s'exprime dans un culte célébré publiquement. La religion suscite ainsi l'existence de communautés confessionnelles à l'intérieur de la société globale et celle-ci ne peut pas plus ignorer le fait religieux et se désintéresser de la présence des Églises que celles-ci ne peuvent ignorer que leurs fidèles appartiennent aussi à une nation et sont les citoyens ou les sujets d'un État. Il y a donc nécessairement, bons ou mauvais, intimes ou espacés, implicites ou codifiés, des rapports entre les religions organisées et les pouvoirs publics.

Mais cet aspect — les rapports des Églises et de l'État — qui est généralement le plus visible et le mieux connu, s'il retient l'attention en priorité, n'est pas le seul où s'articulent les deux sociétés. Il n'est que le sommet d'une pyramide de relations multiples et qui intéressent bien d'autres plans de la réalité : mouvements d'idées, culture, opinion, mentalités, classes sociales. Ce n'est donc pas seulement l'histoire proprement politique qui appelle l'évocation du fait religieux, c'est toute l'histoire des sociétés. D'autre part, les rapports ont subi d'importantes variations : leur importance même a grandement changé. Sous l'Ancien Régime en Europe, les deux sociétés, civile et ecclésiale, étaient si intimement mêlées que leurs relations affectaient tout le champ de l'existence sociale. Aujourd'hui, pour des sociétés qui se croient sécularisées, ces relations ont-elles encore quelque importance? C'est à esquisser le sens général de l'évolution depuis quelque deux cents ans qu'on va s'employer.

2. Cinq grands faits historiques

Procédons comme nous avons coutume de faire : en faisant le point au début du XIXe siècle. La situation religieuse de l'Europe au début de la Restauration est la résultante de plusieurs grands faits historiques qui se sont succédé depuis le XVIe siècle et ont eu une part décisive à la modernité de notre monde, en rompant avec les modes de pensée et d'organisation sociale du Moyen Age. Ce sont, successivement : la Réforme, le mouvement des idées philosophiques et la Révolution française.

La Réforme.

La Réforme a brisé l'unité de la chrétienté médiévale (à dire vrai déjà passablement ébréchée par la rupture, quatre ou cinq siècles plus tôt, entre Rome et Constantinople) et morcelé la carte religieuse de l'Europe. C'est du XVIe siècle que date le pluralisme religieux à l'échelle du continent, mais pas encore à l'intérieur des unités nationales. Dès lors sont dessinées les grandes lignes de la carte confessionnelle de l'Europe : en dépit des bouleversements ultérieurs de la géographie politique et des évolutions intellectuelles, la distribution des croyances à la surface de l'Europe n'a guère varié jusqu'à nos jours. Les partages se sont stabilisés dans les premières décennies du XVIe siècle. On distingue depuis lors trois Europes religieuses correspondant aux trois grandes confessions chrétiennes.

A l'est, l'Europe *orthodoxe* avec la Russie, la Sainte Russie, la troisième Rome, et la plupart des peuples slaves ou des populations des Balkans : Serbes, Bulgares, Roumains, Grecs. En partie du fait de la rupture religieuse cette vaste région de l'Europe s'est trouvée retranchée du reste du continent. Pour plusieurs pays l'isolement a été aggravé par la conquête turque. Les populations qui ont vécu quatre ou cinq cents ans sous la domination ottomane constituent presque une quatrième Europe, en dépit de leur communauté religieuse avec les nations orthodoxes.

Au nord et au nord-ouest du continent, une *Europe réformée* dont font partie la Scandinavie luthérienne, les Iles britanniques (sauf l'Irlande qui maintient à l'extrémité un îlot de fidélité au catholicisme romain) où l'Angleterre et l'Écosse ont opté pour deux formes différentes de protestantisme; les Provinces Unies — c'est même la cause de leur séparation d'avec les provinces méridionales des Pays-Bas espagnols, une bonne partie des Allemagnes, des cantons suisses, plus des noyaux en Pologne, en Hongrie, en France.

Une *Europe catholique*, demeurée dans l'obédience de Rome, qui couvre essentiellement les parties méridionales du continent, les péninsules ibériques (Espagne et Portugal), l'Italie, la France dans sa plus grande partie, les provinces méridionales des anciens Pays-Bas, certaines régions de l'Allemagne (Bavière, Rhénanie), l'Autriche, la Bohême, et au nord-est la Pologne. Aux extrémités Irlande et Pologne se font pendant, aventurées au cœur de régions presque tout entières passées au schisme orthodoxe ou à l'hérésie.

Il y a ainsi *trois domaines confessionnels* relativement homogènes mais, avec dans les zones de contact, des pays divisés, telle l'Allemagne partagée entre confessions rivales.

La Réforme a eu une autre conséquence : la *coïncidence entre confession* et *appartenance politique*. Au temps de la chrétienté médiévale, l'universalité de l'Église et l'unité de foi s'accompagnaient d'un morcellement territorial extrême et de la multiplicité des unités politiques. A partir du XVIe siècle la diversité des croyances religieuses s'ajoute à la fragmentation politique et la consolide : il y a en effet presque toujours identité entre l'appartenance politique et l'adhésion à une Église. Le choix entre catholicisme et Réforme s'est souvent fait à l'initiative des princes et la règle prévaut que les sujets suivent leur souverain. L'unité religieuse ruinée à l'échelle du continent se rétablit donc à l'intérieur de chaque unité politique, royaumes ou principautés. La coexistence entre deux confessions, à laquelle l'édit de Nantes (1598) donne un statut légal en France, fait plutôt figure d'exception dans une Europe où il est entendu que l'unité politique implique l'unité confessionnelle. Les différences religieuses vont ainsi contribuer à renforcer la cohésion des nouvelles unités nationales : l'antipapisme soude le peuple anglais à son souverain. Puisque le fait religieux est commun à tous les sujets d'un même État et les distingue des États voisins, il devient un élément constitutif de la conscience nationale. Dans les nations privées d'État, la fidélité religieuse sera le conservatoire de la personnalité nationale et l'on sait le rôle que la religion jouera au xixe siècle dans le réveil des nationalités sujettes ou divisées : en Belgique, en Irlande, en Pologne, dans les Balkans. L'antagonisme entre les confessions entretiendra les résistances des particularismes locaux ou provinciaux aux mouvements unificateurs : c'est pour cela que l'unité allemande opérée sous l'égide de Bismarck revêtira un aspect anticlérical avec le *Kulturkampf*.

La concordance n'est cependant pas rigoureuse dans tous les pays entre l'appartenance politique et la foi religieuse : des minorités persistent à refuser la croyance officielle; l'Europe connaît en plusieurs points le problème de la dissidence. Les efforts des souverains pour la réduire sont généralement vains, la politique se révélant impuissante devant la résistance de la conscience individuelle. Les minorités confessionnelles ruinent par leur seule existence les prétentions de l'État à imposer à tous une croyance officielle. De guerre lasse il en vient à tolérer la coexistence de dissidents avec l'Église établie.

Le mouvement des idées.

Mais une revendication plus radicale se fait jour avec le mouvement des idées : non plus la tolérance honteuse, mais la reconnaissance publique de la liberté de croyance et de l'égalité de tous les cultes devant la loi. Ce qui implique un relâchement des liens traditionnels entre l'État et l'Église officielle. Même si ses conséquences rejoignent sur plus d'un point celles de la Réforme, le mouvement des idées au XVIIᵉ et au XVIIIᵉ siècle procède d'un état d'esprit fondamentalement différent. La Réforme obéissait à une inspiration religieuse, elle exprimait une volonté de retour à l'essentiel, de purification et d'approfondissement; le mouvement philosophique est une protestation de la raison et affirme sa prétention à régler toute l'existence humaine. Il était donc inévitable qu'il entre en conflit avec les Églises et conteste l'autorité qu'elles se sont arrogée sur l'intelligence de l'homme comme sur le pouvoir politique. Il n'est pas nécessairement antireligieux, ni partout antichrétien, mais il rejette la tutelle de la religion et cherche à lui soustraire tout ce qu'elle s'est assujetti : il affirme le droit de la raison à tout examiner à l'encontre de la méthode d'autorité, il revendique l'autonomie de la société civile et porte donc en germe la laïcisation de l'État, la sécularisation de la société, la séparation des deux ordres, religieux et profane.

La Révolution et ses conséquences.

C'est la Révolution française qui transcrit la première dans le droit et dans la pratique les revendications de l'esprit philosophique. L'assistance devient une institution publique. La tenue de l'état civil est retirée au clergé pour être confiée aux municipalités. Les minorités religieuses, protestants et juifs, reçoivent l'égalité des droits civils et politiques et sont relevées des discriminations qui les frappaient. Mais les assemblées révolutionnaires ne conduisent pas cette transformation jusqu'à son terme : notre notion moderne de la laïcité leur est totalement étrangère; les révolutionnaires n'imaginent pas qu'une nation puisse se passer d'une religion commune. A défaut de pouvoir « révolutionner » l'antique religion catholique, on créera une religion révolutionnaire. L'échec de toutes les tentatives pour substituer des cultes nouveaux au catholicisme ramènera les pouvoirs publics à s'entendre avec l'Église. Seule innovation : la reconnaissance de la liberté de croire, ou de ne pas croire, l'égalité accordée aux autres confessions et matérialisée par les Articles organiques (1802). C'est au cours du XIXᵉ siècle que reprend le mouvement pour séparer totalement les deux sociétés. La rupture ne sera, en France, consommée, après un siècle de querelles, qu'en 1905 par le vote de la séparation des Églises et de l'État dans un climat de guerre religieuse, qui est un autre legs de la Révolution.

Que le conflit déclaré entre l'esprit de la Révolution et l'Église catholique ne soit qu'un accident résultant d'un regrettable malentendu ou qu'il soit la conséquence logique et inéluctable d'une incompatibilité irréductible entre les principes de 1789 et la foi chrétienne, il reste — et c'est l'important pour la suite — que le catholicisme s'est trouvé à partir de 1790 rejeté dans le camp de la Contre-Révolution et que les héritiers de la Révolution ne pensent pas pouvoir préserver et consolider les conquêtes de 1789 sans désarmer l'Église. Aussi la laïcisation de l'État et la sécularisation de la société, qui auraient pu s'effectuer à l'amiable par transfert graduel de certaines attributions, se sont-elles au contraire opérées dans une atmosphère de guerre de religion. Des mesures qui auraient pu n'avoir d'autre caractère que technique se sont chargées d'une signification idéologique et ont mobilisé les passions adverses.

Que les choses eussent pu se passer autrement, le processus

suivi par les pays qui n'ont pas été directement touchés par les événements révolutionnaires le suggère : ainsi aux États-Unis où la séparation entre les pouvoirs publics et les Églises ne s'est accompagnée d'aucune violence. Il est vrai que c'est une société dominée par la Réforme. Or, dans les pays à dominante protestante, les questions religieuses n'ont jamais pris le tour passionné qu'elles ont connu dans les pays catholiques. D'une part, parce que l'anticléricalisme n'y a pas les mêmes raisons d'être : il ne se trouve pas en présence d'un clergé organisé de façon aussi hiérarchique et surtout dépendant d'une autorité universelle. D'autre part, l'esprit de la Réforme fait plus aisément bon ménage avec la liberté de conscience. Surtout au XIXᵉ siècle, où les tendances dites libérales tendent à prévaloir dans les Églises protestantes, tandis que le catholicisme romain décrit l'évolution contraire.

Est-ce par réaction contre le péril révolutionnaire qui avive les inclinations autoritaires, toujours est-il que l'évolution interne du catholicisme, caractérisée par le progrès de l'ultramontanisme, à la fois comme doctrine et comme organisation, le renforcement de la centralisation romaine, l'affirmation de la souveraineté absolue du pape, accentue davantage encore l'opposition entre l'esprit du siècle et la foi traditionnelle. De là que le règlement des questions juridiques et diplomatiques posées par la coexistence des deux sociétés se soit fait sous l'empire des passions et des idéologies. Les tentatives de rapprochement entre l'Église et le monde moderne, les efforts pour dissiper le malentendu ou pour réconcilier les adversaires se soldent à peu près tous par des échecs qui renforcent de part et d'autre les extrêmes dans leur intransigeance. L'Église condamne sans appel ni atténuation les erreurs du monde moderne et ce qui se conçoit ou se réalise de neuf dans presque tous les domaines est amené à le faire en dehors de toute influence religieuse, quand ce n'est pas délibérément contraire : systèmes philosophiques, théories scientifiques, régimes politiques, forces sociales, institutions de toute sorte. Le divorce semble, dans la seconde moitié du XIXe siècle, absolu et irrévocable entre deux univers, deux sociétés, deux mentalités. L'Église catholique représente le passé, la tradition, l'autorité, le dogme, la contrainte. La raison, la liberté, le progrès, la science, l'avenir, la justice sont dans le camp opposé. La victoire de celui-ci passe donc par la défaite des forces de conservation et de réaction indissolublement associées à la religion. De là que leur séparation ait pris la forme d'une guerre inexpiable dont les péripéties ont scandé l'histoire politique des pays catholiques européens : France, Italie, Belgique, Espagne, etc.

La déchristianisation.

Un autre phénomène a largement contribué à restreindre l'influence du facteur religieux et à affaiblir l'autorité des Églises, qui ne doit pas être confondu avec la querelle religieuse ni avec la sécularisation de la société civile, même si ses effets s'y sont additionnés : la déchristianisation. Ce n'est pas du tout la même chose : la laïcisation de l'État ne visait qu'à distendre, ou à rompre, les liens officiels, juridiques ou institutionnels, qui unissaient la puissance publique à l'Église. Elle ne préjugeait pas les sentiments personnels et les croyances des individus : les positions prises par les hommes politiques dans les conflits entre Églises et État n'étaient pas absolument déterminées par leurs opinions sur l'existence de Dieu ou la divinité du Christ. Ce qu'on appelle déchristianisation touche au contraire aux croyances intimes et aux comportements personnels. Elle exprime le fait que, depuis une centaine d'années dans les sociétés modernes, des masses d'hommes de plus en plus compactes paraissent se désintéresser de toute croyance religieuse. Ils cessent de fréquenter les lieux de culte, s'éloignent des sacrements, négligent les obligations cultuelles. La régression de la pratique religieuse est l'indice d'une désaffection grandissante à l'égard des Églises et de la religion. A la différence de l'état d'esprit qui avait présidé au début du XIXe siècle à la laïcisation et qui se définissait par une hostilité militante, la déchristianisation n'exprime plus que le désintérêt et l'indifférence.

Certes, pour être différente par sa nature de la sécularisation de combat, la déchristianisation n'en est pas historiquement complètement dissociée. La politique anticléricale des gouvernements de gauche, la législation antireligieuse, les mesures d'exception prises contre l'Église et ses institutions ont assurément contribué à détacher certaines couches de la population de ses habitudes religieuses. Pareillement, le désaccord manifeste entre les aspirations du temps et les positions des autorités religieuses a été responsable de l'éloignement de beaucoup qui, sommés d'opter entre la fidélité à la religion traditionnelle et l'espérance de construire un monde plus libre ou plus juste, ont choisi la démocratie ou le socialisme, la science ou la fraternité humaine. Mais, pas plus que la déchristianisation des masses ne se réduit à la laïcisation des institutions publiques, ses causes ne se limitent à la guerre que se livrèrent au XIXe siècle les deux camps ennemis. D'autres facteurs ont amplifié ou précipité la désaffection, dont l'inventaire est indispensable à l'intelligence du phénomène. Sans compter qu'ils éclairent utilement les processus de changement social.

La déchristianisation est dans une large mesure la traduction d'un décalage dans le temps. Elle sanctionne en particulier la lenteur des institutions ecclésiales à comprendre leur temps et les questions qu'il leur adresse. Ce décalage est particulièrement sensible sur deux terrains. D'abord, pour les mouvements intellectuels : le clergé n'a pas étudié, ni estimé à leur juste valeur les idées nouvelles, théories et systèmes. Partant, ses réponses étaient inadéquates, son apologétique désuète, son enseignement anachronique. En second lieu, pour les faits sociaux, que les Églises ont mis longtemps aussi à reconnaître et à comprendre. Ainsi de la classe ouvrière dont on a beaucoup dit qu'elle avait été déchristianisée : l'expression est impropre et telle quelle énonce une erreur historique. Elle impliquerait en effet que, antérieurement, la classe ouvrière avait été chrétienne et que l'Église l'aurait peu à peu laissée s'éloigner. Or, cette classe est une réalité sociale neuve qui n'avait jamais été, et pour cause, puisqu'elle n'existait point comme telle, évangélisée. Il est donc plus conforme à la réalité des évolutions de dire que les Églises n'ont pas pris garde à son apparition, qu'elles ne se sont avisées qu'avec retard de sa présence et de ses problèmes. Trop tard souvent pour pouvoir encore s'en faire écouter. Dans l'intervalle, cette classe nouvelle avait pris ses habitudes, elle s'était adressée à d'autres philosophies pour avoir réponse à ses questions et pour leur emprunter l'inspiration de son action collective. Faute d'avoir perçu la nouveauté du phénomène et reconnu l'importance de la nouvelle classe, les Églises ont négligé de l'évangéliser : la construction d'églises ou de temples, l'érection de paroisses, la constitution d'un clergé ont pris un retard d'une ou plusieurs générations : dans l'intervalle, les enfants avaient grandi sans instruction religieuse, les adultes, éloignés de lieux de culte, empêchés par l'absence de repos dominical, avaient abandonné la pratique cultuelle. C'est ainsi, par un jeu de conséquences indirectes, que le travail industriel, l'usine ou la manufacture, la ville ont eu sur la fidélité religieuse des populations urbaines des effets négatifs. Non pas, comme se le sont imaginé souvent, et à tort, les hommes d'Église, parce que l'industrie était de soi incompatible avec la religion ou que la ville fût plus immorale que la campagne, mais parce que les réalités concrètes modèlent les comportements et façonnent les mentalités.

La mutation sociale, qui a correspondu à l'industrialisation et à l'urbanisation, a entraîné la désintégration des cadres traditionnels dans lesquels la pratique religieuse s'était insérée depuis des siècles et la rupture des habitudes collectives qui étayaient la vie religieuse. Il y avait dans la fidélité massive à la religion et dans l'observance des disciplines ecclésiales par le plus grand nombre une part considérable de conformité aux usages et de soumission aux règles du groupe social. La dislocation du groupe et la remise en question de ses habitudes de vie ne pouvaient pas être sans conséquences sur la religion collective. C'est en ce sens que la sécularisation a nourri la déchristianisation et que deux phénomènes, qu'il est légitime de distinguer à raison de leur différence de nature, ont eu néanmoins l'un sur l'autre des effets réciproques. C'est ce bouleversement des relations entre appartenance religieuse et société qu'on exprime quand on dit que nos sociétés sont passées d'une situation de chrétienté à un état de diaspora. Pour dire la même chose en d'autres termes, la foi est passée dans le même temps d'une ère de conformité à une ère d'intériorité.

A parler toujours de déchristianisation, on risquerait de perdre de vue que le recul de la vie religieuse n'est pas propre au christianisme. Les mêmes causes, désagrégation des civilisations traditionnelles, exode rural, urbanisation galopante, industrialisation, progrès de l'instruction, diffusion des techniques, produisent des effets semblables sur tous les continents. On pourrait aussi parler de « désislamisation », dans les pays musulmans au contact de la civilisation occidentale, d'autant plus que les facteurs de nouveauté et de changement, au lieu d'être comme en Europe sécrétés sur place, sont importés de l'extérieur. Il conviendrait de s'interroger aussi sur l'état de la croyance religieuse aux Indes, de se demander ce qu'elle devient au Japon confrontée à la civilisation la plus moderne qui soit. Le phénomène affecte sans doute dans des proportions variables, à des rythmes inégaux, et avec des modalités spécifiques, toutes les religions.

La persistance du fait religieux.

Est-ce à dire que la disparition de toute croyance religieuse, que l'abolition universelle du sentiment religieux soient le terme obligé de l'évolution dont nous avons relevé les symptômes? L'athéisme généralisé est-il l'aboutissement naturel, logique, irréversible, de la sécularisation de la société, de la laïcisation du pouvoir comme de l'indifférence des individus à la question religieuse? Telle est bien la perspective que dessinent certains systèmes philosophiques et politiques; ainsi le marxisme annonce-t-il la disparition des religions à mesure que la suppression de la propriété, mettant fin à l'aliénation et réalisant la société sans classes, en supprimera la raison d'être. A cet égard, l'historien, qui ne peut raisonner qu'à partir de ce qu'il observe, est obligé de constater que, pour l'heure, cette anticipation reste un acte de foi. La réalité est plus complexe et comporte simultanément des évolutions en des sens différents.

Si le fait religieux a cessé en beaucoup de sociétés (et tel n'est pas le cas dans les sociétés musulmanes où la référence à l'Islam est l'expression du sentiment national) d'être l'expression commune, si le pluralisme des croyances est devenu le droit et le fait, si les liens entre religion et politique se sont distendus, le fait religieux n'a pas disparu. Loin de là : il montre même une étonnante persistance dans les pays qui ont tenté de l'étouffer, il manifeste en Union soviétique et dans les démocraties populaires une capacité de durer et de résister qui n'autorise pas à le traiter comme une simple survivance vouée à s'étioler à bref délai. En

Pologne après trente ans de pouvoir absolu du communisme, l'Église catholique demeure une force, la seule, avec laquelle le parti doit composer. On a vu récemment en Irlande la différence et l'antagonisme des confessions rallumer une guerre de religion qu'on croyait définitivement éteinte. Le réveil du monde arabe a été aussi un réveil religieux. Le bouddhisme joue en Extrême-Orient un rôle politique qui n'est pas négligeable; au Sud-Viêt-nam, au Cambodge. Au Japon, le Sokhagaya est autant une force politique qu'une secte. Nous pourrions allonger indéfiniment la liste des exemples qui démontre que non seulement le *fait religieux* n'a pas dit son dernier mot, mais qu'il *garde une importance sociale* et continue de jouer un rôle dans le devenir des sociétés politiques. On pourrait même se demander par moments à certains signes s'il n'est pas en train d'occuper dans le champ de conscience collectif une place plus étendue que jadis : à preuve le succès de l'information religieuse, la place qui lui est faite par l'information générale, qui paraissent bien être des indices d'un intérêt et d'une curiosité grandissants à l'égard de cet ordre de faits.

Depuis quelques années, un grand changement affecte les relations de la religion et de la politique, au moins dans les pays où le christianisme est la religion dominante ou traditionnelle : le signe qui caractérisait ces rapports depuis la Révolution s'est comme inversé. Nous avons rappelé comment le conflit entre la Révolution française et le catholicisme romain les avait rangés dans deux camps adverses et comment cette rupture avait ensuite commandé les systèmes d'alliances. Au point qu'il semblait aller de soi aux yeux de tout bon esprit au XIXe siècle que la religion était l'alliée naturelle de l'ordre et de la réaction. Or, pour le catholicisme, l'évolution dont le second concile du Vatican (1962-1965) a été le symbole et l'accomplissement a soudain révélé que les choses n'étaient pas écrites et acquises une fois pour toutes. En de nombreux pays, les chrétiens, ou une partie d'entre eux, jouent un rôle moteur pour le changement tantôt pacifique, tantôt au besoin par la violence, des structures sociales et politiques. Ce renversement d'alliances souligne l'ambivalence du fait religieux qu'on s'était trop pressé au siècle dernier, à partir d'une expérience limitée dans le temps et l'espace — la symbiose entre l'ultramontanisme romain et la Contre-Révolution —, d'identifier à la seule stabilité et aux forces de conservation. Dans une perspective historique à long terme l'affirmation des virtualités « progressives » du christianisme, l'alliance renouée entre religion et volonté de changement signifient que la page est tournée du chapitre inauguré par la Révolution, et ses conséquences effacées après un siècle et demi. Pour une vue plus étendue encore c'est la période ouverte par la Réforme qui se clôt, et avec elle quatre siècles d'histoire religieuse, et politique, de l'Europe qui basculent — définitivement? — dans le passé.

10

Les relations entre l'Europe et le monde

S'il n'a guère été question jusqu'à présent que du continent européen, ceci est conforme aux voies empruntées par le développement historique au XIXᵉ siècle. Deux traits concourent à justifier que l'attention se porte en priorité sur les événements qui se déroulent en Europe. D'une part, c'est en Europe que s'accomplissent les transformations les plus décisives, celles qui changent la société, qui modifient l'existence. C'est en Europe aussi que les grands courants d'idées ont pris naissance, que surgissent révolution technique, transformation économique, expérience politique qui sont autant de forces neuves. Le rythme de l'histoire y est plus rapide et les autres continents, par comparaison, paraissent immobiles, et comme endormis dans le respect de traditions millénaires. Leur histoire ne se renouvelle guère; celle de l'Europe, au contraire, se déroule sous le signe de la nouveauté.

D'autre part, ce qui se passe en Europe retentit dans le monde entier. L'inverse n'est pas vrai, au moins au XIXᵉ siècle. Aussi, parlant de l'Europe, on est amené à parler indirectement des autres continents dans la mesure où les événements d'Europe ont eu des répercussions en Afrique ou en Amérique, où l'influence de son histoire ne s'arrête pas aux limites du continent mais déborde largement jusqu'à recouvrir presque l'universalité du globe. L'Europe, au xixe siècle, n'est pas isolée, elle étend son action au monde entier.

C'est là un fait capital sur lequel il convient de revenir pour en mesurer la portée et en déchiffrer la signification.

L'étude des relations entre l'Europe et le reste du monde se distribuera en trois parties : la première analysera les causes de ce phénomène; la deuxième, la plus importante, dénombrera les formes prises par les rapports entre l'Europe et les autres continents; la troisième ébauchera un bilan, à la veille de 1914, de ces échanges, de la circulation d'hommes, d'idées, de produits, qui ont tissé entre l'Europe et les autres continents des liens de plus en plus étroits.

1. L'initiative européenne et ses causes

Le fait que l'action de l'Europe ne s'arrête pas à ses propres frontières, que son influence déborde largement ses limites géographiques, qu'elle se porte à la rencontre du monde en prenant l'initiative d'établir des relations durables entre les divers continents constitue un phénomène relativement singulier.

Car si, aujourd'hui, cette orientation peut nous paraître aller de soi, à l'examen on découvre qu'aucune nécessité, aucune fatalité, ne prédestinait l'Europe à prendre l'initiative des relations avec le reste du monde : bien au contraire, quantité de facteurs auraient pu jouer en sens inverse. Venant derrière l'Asie, l'Afrique et l'Amérique, l'Europe était loin d'être le continent le plus étendu. Ce n'était pas même le plus peuplé puisque, vers 1750, la moitié de l'humanité vivait en Asie. A en juger par le poids des masses humaines, c'est d'Asie qu'auraient pu partir les grands courants migratoires. L'Europe n'avait même pas pour elle d'être la plus anciennement civilisée. La Chine, l'Inde, l'Égypte l'ont été avant elle. Tout, superficie, nombre, histoire, semble donc plutôt travailler contre l'Europe.

Et, de fait, si l'on remonte assez loin dans le passé, on découvre que c'est bien ainsi que les choses se sont d'abord passées. Les invasions sont venues de l'Asie. De l'Antiquité à la fin de l'Empire romain et au Moyen Age, l'Europe a vu, périodiquement, déferler des vagues d'envahisseurs, dont certaines ont reflué, d'autres se sont fixées et ont fait souche de nations aujourd'hui européennes.

C'est seulement aux temps modernes que les courants se renversent; depuis le XVIe siècle le phénomène des invasions en Europe ne s'est plus reproduit. La dernière est celle des Ottomans, au milieu du XVe siècle, quand les Turcs ont fait irruption en Europe. Leur poussée se prolonge sur l'élan acquis pendant quelque deux siècles, et le reflux date de leur échec sous les murs de Vienne en 1683. C'est là la limite extrême. La force vive de l'Empire ottoman est allée s'affaiblissant tandis que l'Europe s'était déjà engagée à la découverte et à la conquête des autres.

Ce rappel historique confirme que l'expansion de l'Europe est limitée dans le temps : elle tient en quelques siècles.

Sans qu'on trouve d'explication pleinement satisfaisante à ce retournement des courants, on entrevoit quelques facteurs dont certains nous sont familiers pour les avoir étudiés dans d'autres perspectives.

Le facteur initial est un fait de mentalité, d'ordre psychologique, intellectuel ou spirituel, un tour d'esprit, le désir, la passion de savoir, une forme d'intelligence scientifique, la curiosité que l'Europe occidentale a héritée de la science grecque et qu'elle applique à la connaissance du monde, mais aussi le goût de l'aventure, le désir du changement, l'idée que les choses ne sont pas immuables. Tout cela est au principe d'un dynamisme, d'une volonté de transformation qui s'exercera aussi bien dans l'ordre des régimes politiques et de l'organisation du pouvoir, que dans celui des secrets de la nature et de la science et de la technique. Sans cette disponibilité d'esprit, les Européens n'auraient seulement jamais pensé à sortir de chez eux.

Mais ces facultés n'ont pu développer toutes leurs conséquences que parce que les Européens disposaient d'autres atouts qui leur conféraient une supériorité sur les autres continents. Cette constatation n'implique aucun jugement de valeur; la supériorité est de fait, elle exprime l'avance chronologique de l'Europe.

Cette supériorité est double. Elle est d'abord technique et c'est l'aspect auquel on songe en premier lieu, parfois même le seul auquel on pense. Cette supériorité technique est la conséquence naturelle de l'exercice d'une pensée scientifique qui croit à l'intelligibilité de l'ordre naturel, qui postule la conformité entre le mouvement de la raison et les lois de la nature et qui, peu à peu, en débrouille les secrets, reconstruit le système de la nature, et déduit de ses lois scientifiques les applications pratiques dont découle la gamme des inventions, la maîtrise des forces, de l'énergie qui s'applique à l'armement, à la navigation, aux voies de communication, tout ce qui va faciliter la pénétration des autres continents. La supériorité des Européens ne tient pas seulement à une puissance de feu accrue, à une capacité de transport supérieure, à une meilleure connaissance des vents, des courants, à l'utilisation de la boussole. Il y a cette autre supériorité sans laquelle l'avance technique n'aurait pu construire des empires qui ont duré des siècles : la supériorité dans l'art du gouvernement, la science du commandement, les rapports entre les hommes. L'Europe a su, la première, administrer de grands ensembles humains. Cette supériorité se manifeste par les codes, les institutions politiques, des corps profession-

nels avec leurs traditions, des techniciens compétents, l'organisation du crédit, tout ce qui va assurer la pérennité de ses
conquêtes et sans quoi les empires coloniaux de l'Europe
n'auraient pas plus duré que ceux des envahisseurs venus
de l'Asie centrale. L'empire de Tamerlan ne lui a pas survécu
tandis que les empires coloniaux de l'Europe se sont main-
tenus après les conquistadores; l'empire espagnol, l'empire
portugais ont duré trois siècles parce que la supériorité de
l'organisation et de l'ingéniosité a pris le relais de la supériorité militaire.

Enfin la force propre des idées que l'Europe apportait
avec elle, le prestige de sa civilisation, le désir de l'imiter
qu'elle a suscité chez les élites des pays colonisés, tout
cela assure l'influence durable et prolongée de l'Europe,
parfois même au-delà de sa présence et de sa domination.

La supériorité de fait et l'antériorité dans le temps ont
pour conséquence — c'est peut-être le phénomène le plus
important de l'histoire du monde moderne — que les rapports entre l'Europe et les autres continents se sont établis
sur un pied d'inégalité. L'Europe prenant l'initiative, les
autres continents n'avaient le choix que de la repousser ou la
subir. L'Europe va renforcer sa supériorité de fait par une
supériorité de droit, de pouvoir et d'organisation. Inégalité
de fait et inégalité de droit étant inséparables, l'inégalité de
droit vient consacrer et figer la dissymétrie initiale entre
l'Europe et les autres continents. Elles ont modelé les relations intercontinentales, de l'aube des temps modernes à la
fin de la colonisation, c'est-à-dire jusqu'à aujourd'hui, soit
quelque quatre ou cinq siècles après.

2. La colonisation

Si les relations entre l'Europe et les autres continents ont pris plusieurs formes, les relations se nouant sur les plans politique, économique, intellectuel, culturel, toutes ont comme point commun l'inégalité.

L'inégalité, fondement de la domination coloniale.

La forme la plus répandue, mais aussi la plus structurée des relations entre les continents, est la domination coloniale dont le caractère distinctif est précisément l'inégalité fondamentale et permanente entre métropole et colonies.

L'inégalité affecte tous les plans, et en premier lieu les rapports politiques. C'est pourquoi au terme de colonie il conviendrait de substituer son synonyme « dépendance » qui souligne bien la relation inégale entre les territoires d'outre-mer et les métropoles dont ils relèvent.

Parler d'inégalité politique est à la vérité un euphémisme puisqu'elle implique qu'il y ait deux partenaires alors qu'on ne reconnaît pas à la colonie d'existence politique, qu'elle est considérée comme un simple objet d'action et de décision politique, n'ayant donc aucune part aux décisions la concernant qui sont prises en dehors d'elle dans les capitales des empires.

La colonie n'a ni liberté ni souveraineté. La souveraineté appartient toute à la métropole. Elle n'a même pas de personnalité reconnue et c'est ce qui la distingue du protectorat.

Le protectorat comporte la reconnaissance partielle d'une

singularité qui empêche de le confondre avec la métropole. Il y a en effet des degrés dans la dépendance, et le protectorat connaît une dépendance atténuée. Dans le régime du protectorat, pratiqué par la France, par la Grande-Bretagne, la fiction d'un État subsiste. S'appliquant généralement aux pays qui constituaient des unités politiques ayant eu des relations internationales, le protectorat tient compte de ce passé, respecte l'unité politique. Le plus souvent, il maintient ou même renforce l'autorité de la dynastie et consolide l'unité nationale. C'est un effet inattendu, mais incontestable de la présence coloniale. Ainsi quand les Français prennent pied au Maroc et obtiennent de l'Europe les mains libres dans le royaume chérifien, l'autorité du sultan est contestée, plus de la moitié du Maroc échappe à son autorité; et on distingue le Maroc loyaliste du Maroc rebelle. Après un quart de siècle, la présence française a abouti à étendre l'autorité de la dynastie sur la totalité du Maroc, du traité de Fez signé en 1912 jusqu'à l'achèvement de la pacification en 1935. La nation future a été ainsi préfigurée à l'intérieur du protectorat. De même en Indochine où le régime du protectorat s'appliquait au Laos, au Cambodge et à l'Annam. Forme atténuée de la colonisation, le protectorat n'est pas la plus répandue.

A la colonie et au protectorat, on peut encore rattacher comme une modalité distincte, le statut des États dont la souveraineté subsiste fictivement, dont l'indépendance est nominalement respectée, mais auxquels l'Europe impose des conditions discriminatoires, telle la Chine par la signature des traités qu'on appelle précisément les traités inégaux. Expression singulière car un traité implique l'idée d'une négociation bilatérale : même entre un État puissant et une petite nation la convention veut que l'un et l'autre traitent sur pied d'égalité. Les traités inégaux stipulent au contraire l'inégalité entre les deux contractants, la Chine devant concéder à l'Europe et aux États-Unis des avantages sans contrepartie et souscrire à des obligations sans réciprocité.

L'inégalité n'est pas seulement politique mais s'étend encore au statut des personnes, à leurs droits civils, et non pas seulement politiques. Dans le régime colonial, les populations autochtones sont assujetties à un régime juridique différent de celui des citoyens de la métropole. Ainsi, même si la colonisation a pour conséquence d'améliorer la condition matérielle, d'élever le niveau de vie, de corriger un certain nombre d'injustices, par exemple, de supprimer l'esclavage, elle maintient une inégalité de droit entre les individus, elle applique deux lois, deux droits. Dans les colonies françaises, ces lois sont consignées dans le code de l'indigénat (l'expression indique assez qu'il s'agit d'un statut réservé aux indigènes). Les indigènes s'y voient appliquer un statut notablement inférieur à celui des ressortissants français et sont soumis à un régime administratif plus rigoureux. Ils ne peuvent pas se prévaloir des libertés reconnues par la loi française : ainsi en est-il, jusqu'à la Seconde Guerre mondiale, du droit syndical, pourtant reconnu en France depuis 1884. Ce qui est licite en France est, outre-mer, tenu pour un délit justiciable des tribunaux, poursuivi et sanctionné par des peines d'emprisonnement ou d'amende.

De plus, quelques-uns des principes que l'Occident tient, depuis le XVIIIᵉ siècle, pour fondamentaux dans une société politique ne sont pas respectés, comme par exemple le principe de la séparation des pouvoirs. C'est ainsi que le code de l'indigénat permet aux administrateurs d'être à la fois juges et parties; ceux-ci peuvent citer à leur propre tribunal ceux qui ont commis quelque infraction à des décisions administratives et donc exercer des pouvoirs disciplinaires. C'est la confusion entre pouvoir administratif et pouvoir judiciaire.

De même en ce qui concerne le travail, si l'Europe a aboli

le régime de la corvée, elle le maintient sous le nom de travail forcé dans les colonies qui devront attendre 1946 pour le voir disparaître.

L'inégalité économique.

L'Europe étant incontestablement en avance sur les autres continents dans le domaine économique, elle ne peut trouver que des systèmes économiques désavantagés par rapport à elle. Ce n'est donc pas l'Europe qui a créé l'inégalité économique; pourtant, s'il arrive qu'elle la corrige, il arrive aussi qu'elle l'entretienne. Rémunérations et salaires sont, dans les colonies, bien inférieurs à leur niveau dans les métropoles, et même si ce n'est pas le résultat d'une politique délibérée, les populations des colonies n'ont, par le libre jeu des facteurs économiques, qu'une part réduite du profit tiré de la mise en valeur de leurs propres ressources naturelles. En effet, ces peuples n'ayant pas de capitaux, les capitaux viennent des métropoles et le revenu retourne aux métropoles. Ce mouvement de retour peut prendre une très grande ampleur, c'est ce qu'on appelle, dans le cas de l'Inde, le *drain*, mouvement qui dépossède le pays d'une partie du produit de son propre travail.

Cette inégalité économique s'étend à des territoires qui ne sont pas des colonies politiques, telle l'Amérique latine au XIXᵉ siècle. Après leur émancipation de l'Espagne ou du Portugal, la plupart des pays tombent sous la dépendance économique de l'Europe. (C'est seulement après la Première Guerre mondiale que les États-Unis prendront la relève de la France, de l'Allemagne, de l'Angleterre.) Avant 1914, c'est l'Europe occidentale qui a placé des capitaux en Argentine, au Brésil, c'est elle qui tire le profit principal de l'exploitation des ressources du continent. Ainsi, on peut dire que — drapeau mis à part — l'Argentine est, avant 1914, une colonie britannique. La Russie tsariste aussi est, économiquement, une dépendance des capitaux européens avec les capitaux français, belges, allemands, placés dans les mines du Donetz, les usines métallurgiques ou textiles de Saint-Pétersbourg et de la région de Moscou. Ce sont les capitalistes européens qui disposent et décident des investissements et de la redistribution des revenus.

Quand il s'agit de colonies proprement dites, la dépendance et l'inégalité économiques prennent un caractère encore plus accusé avec le régime du pacte colonial qui veut que les métropoles disposent du monopole du marché et du transport avec le monopole du pavillon, à l'exception de l'Angleterre qui abolit l'Acte de navigation en 1849. Mais l'Angleterre est un cas particulier : elle peut se permettre, en raison de son avance économique, de sa supériorité technique, et de l'immensité de son empire, de jouer le jeu du libéralisme ; à tout coup elle y gagne.

L'inégalité culturelle.

Enfin, il faut ajouter l'inégalité culturelle aux inégalités économique et politique. C'est l'Europe qui apporte sa civilisation, inculque ses idées et impose ses valeurs, avec son système d'enseignement. La réciproque n'existe pas, car l'Europe n'emprunte guère aux civilisations extra-européennes.

Voilà ce qui fait la spécificité du fait colonial, sur quelles bases se sont d'abord établies, puis consolidées et organisées, en un système cohérent et durable, les relations entre l'Europe et les autres continents. Tel est le système qui a, pendant quatre siècles, réglé les relations internationales, exception faite des relations intereuropéennes.

3. Les étapes de la conquête du monde

On reconstitue de façon souvent arbitraire l'expansion européenne comme une progression continue. Or, une étude attentive aux vicissitudes chronologiques montre qu'elle a subi toutes sortes d'à-coups, connu toutes sortes d'étapes, qu'elle ne s'est pas faite par un développement linéaire.

La situation en 1815.

Au rétablissement de la paix, quand les plénipotentiaires se réunissent à Vienne pour donner à l'Europe un nouveau visage, les rapports entre elle et les autres continents traduisent dans l'ensemble un mouvement de recul de l'Europe. En 1815, la France a perdu presque toutes ses possessions coloniales : elle a cédé en 1803 aux États-Unis la Louisiane que venait de lui rendre l'Espagne et la Grande-Bretagne lui a arraché, à la faveur de la guerre et du blocus, presque toutes ses possessions coloniales. La France récupère au Sénégal l'îlot de Gorée, en face du futur emplacement de Dakar, Saint-Louis, Rufisque qui, avec la Guyane, quelques Antilles, les cinq comptoirs aux Indes, Saint-Pierre-et-Miquelon, constituent tout ce qui subsiste des empires coloniaux que la France avait édifiés entre le XVIe et le XVIIIe siècle avec François Ier, Richelieu, Colbert, Dupleix. Il ne lui reste donc plus que quelques vestiges dont la superficie totale est dérisoire.

L'occupation des Pays-Bas et de l'Espagne par les armées françaises se solde pour les deux pays par la perte d'une partie de leur empire. Solidaires, contraints et forcés, du grand empire, ils ont vu la Grande-Bretagne s'attaquer à leurs dépendances coloniales. Suivant l'exemple des colonies anglaises s'émancipant de la tutelle, les colonies espagnoles et portugaises s'affranchissent toutes entre 1810 et 1825. L'Europe — l'Europe continentale, l'Europe terrienne — ne conserve donc plus que des lambeaux d'empire.

En effet, ceci ne vaut que pour l'Europe continentale. Pour la Grande-Bretagne, le bilan est inverse. Bien qu'elle ait perdu, en 1783, treize de ses colonies en Amérique du Nord, elle a étendu et consolidé ses positions. Elle a évincé ses rivaux, s'est approprié leurs dépouilles : la colonie du Cap, l'île de Ceylan, prises aux Hollandais entre 1805 et 1815. C'est donc, en 1815, la seule grande puissance coloniale. Mais cet empire ne comporte guère que des positions marginales, en bordure des continents, des possessions littorales ou insulaires, et aucun grand ensemble continental, l'Inde exceptée, mais en 1815 il s'en faut de beaucoup que toute l'Inde soit assujettie à la domination britannique.

Un second facteur joue contre l'expansion coloniale et semble même devoir ajourner indéfiniment le moment où elle pourrait reprendre : l'état d'esprit de l'opinion européenne qui croit que le temps de la conquête coloniale est révolu. Les mécomptes de l'Angleterre aux États-Unis, de l'Espagne et du Portugal plus récemment, accréditent l'idée que les colonies sont appelées, tôt ou tard, à faire sécession. Dans ces conditions, est-il bien nécessaire d'entreprendre des conquêtes coûteuses, sanglantes? On trouve sous quantité de plumes dans les années 1815-1840 les thèmes que l'on pourrait croire neufs du cartiérisme de 1960. Politiques et économistes font valoir des considérations idéologiques ou développent des arguments de rentabilité démontrant que la colonie présente plus d'inconvénients que d'avantages, que la conquête, l'occupation, l'administration sont onéreuses et qu'il n'est pas indispensable, pour entretenir des relations commerciales avec les autres continents, de les occuper militairement et politiquement.

En France, plus traditionnellement tournée vers l'Europe — et ce ne sont pas les guerres napoléoniennes qui ont renversé la tendance —, l'opinion publique ne s'intéresse guère à l'outre-mer. Après avoir lutté près d'un quart de siècle contre l'Europe, après l'avoir parcourue d'une extrémité à l'autre, les Français ne sont guère tentés par la perspective de conquérir des territoires dont ils ignorent tout. Entre les deux vocations qui ont toujours sollicité contradictoirement les énergies françaises, la vocation continentale — hégémonie ou intégration européenne — et la vocation maritime — l'expansion outre-mer —, la première prend le pas sur la seconde.

Les initiatives.

La conquête coloniale au XIXᵉ siècle ne procède donc pas d'une volonté systématique des États, ne se déroule pas selon un plan préconçu, une vue d'ensemble. Elle est plutôt la conséquence d'une succession désordonnée d'initiatives tantôt individuelles, tantôt collectives — mais presque toujours privées — qui devancent l'intervention des États et les mettent devant le fait accompli : les gouvernements n'osent alors les désavouer.

Ce sont généralement les ordres missionnaires qui prennent ces initiatives. En effet, au XIXᵉ siècle, l'histoire de la colonisation est inséparable de celle de l'évangélisation. Le bilan des missions en 1815 est comparable à celui de la colonisation : à peu près complètement négatif. Rien en Afrique. Le Japon s'est refermé. La plupart des ordres religieux ont été dissous, dont la Compagnie de Jésus au XVIIIᵉ siècle. De ceux qui subsistent le recrutement est tari. On peut estimer en 1815 que l'histoire des missions, qui avait connu au XVIᵉ siècle un grand élan parallèle à celui de la conquête, est close et s'achève sur un constat de faillite.

Pourtant, sous le pontificat de Grégoire XVI (1832-1846), l'expansion missionnaire reçoit une impulsion nouvelle et l'on enregistre les symptômes d'un réveil missionnaire. Les ordres anciens ressuscitent, retrouvent des vocations, surtout des ordres nouveaux se créent auxquels l'opinion catholique commence de s'intéresser. C'est en 1822 qu'une laïque française, Pauline Jaricot, fonde l'Association pour la propagande de la foi qui aura une influence considérable sur le renouveau missionnaire en France et en Europe. Le protestantisme connaît une évolution comparable et l'un des effets de ce qu'on appelle dans l'histoire religieuse du protestantisme, au XIXᵉ siècle, « le Réveil », est précisément un effort missionnaire. En Angleterre, en France, des sociétés de missions se fondent, réunissent des fonds, envoient des missionnaires en Océanie, à Madagascar.

Mais entre missionnaires catholiques et missionnaires protestants une véritable guerre des missions fait rage entre 1830 et 1850, en Océanie, dans le Pacifique; c'est alors l'occasion pour les marins — donc pour les États — d'intervenir et de planter leurs drapeaux. L'affaire Pritchard est l'épisode le plus connu de cette rivalité.

Ainsi, qu'ils soient catholiques ou protestants, les missionnaires qui n'ont pas encore clairement dissocié l'évangélisation de la colonisation, occidentalisent et christianisent à la fois, les deux allant de pair.

Les négociants aussi jouent un certain rôle, mais moins important, en dépit des idées reçues. Pour certains pays cependant, leur influence a été déterminante : c'est le cas pour l'Allemagne qui n'entre que tardivement dans la compétition, à la fin du xixe siècle. Bismarck ne croyant pas à l'utilité d'une expansion coloniale et réservant son attention pour l'Europe, ce sont des négociants allemands, les chambres de commerce de Hambourg et de Brême — villes qui avaient une longue tradition maritime — qui sont à l'origine de la vocation coloniale de l'Allemagne et qui ont engagé le gouvernement allemand par leurs initiatives. Mais dans l'ensemble, au moins jusque vers 1880 ou 1890, les motifs d'ordre économique, commercial ou industriel, ne jouent qu'un rôle secondaire. Les puissances coloniales ne cherchent guère à placer leurs capitaux dans les colonies, ne comptent guère sur elles pour offrir des débouchés à leur main-d'œuvre excédentaire ou même à leurs produits industriels.

Les motifs.

Si les considérations économiques — importantes au temps du mercantilisme — n'ont pas été déterminantes, quels motifs sont donc à l'origine des vocations coloniales individuelles et au principe de l'expansion des nations européennes ?

Les plus décisifs sont peut-être d'ordre psychologique et politique : considérations d'amour-propre, conviction qu'il y va de l'avenir d'un pays, que la possession d'un empire est une dimension de la grandeur, que sans colonies un pays ne pèse plus dans la balance des forces. Pour un pays vaincu comme la France en 1871, c'est l'occasion de prendre une revanche, de prouver que la défaite n'est pas sans appel, que, battue en Europe, la France est capable de mener à bien une grande entreprise. L'imagerie, les cartes, le drapeau flottant sur de larges espaces symbolisent ces sentiments.

Ces considérations d'amour-propre trouvent une justification tangible, puisent des arguments moins théoriques dans des raisonnements politiques et stratégiques. Souvent, les pays n'ont occupé une position que pour l'interdire à d'autres, moins pour y être eux-mêmes que pour empêcher le rival héréditaire de s'en assurer la possession. Ainsi, à Madagascar, Britanniques et Français se livrent une course de vitesse. C'est plus net encore pour le protectorat tunisien où la France s'est établie pour empêcher la Grande-Bretagne et l'Italie de l'y devancer.

Il y a, en outre, un enchaînement des prises de possession pour assurer la sécurité des territoires déjà occupés qui répond à l'adage selon lequel « il faut avoir les clés de sa propre maison ». Les Français sont en Algérie : ils entrent en Tunisie, puis au Maroc, pour parfaire l'ensemble. Nous retrouvons la transposition hors d'Europe de la notion de frontières naturelles, car les empires coloniaux doivent aussi avoir leurs frontières naturelles. De sorte que, en raisonnant sur des données géopolitiques ou stratégiques, la possession de l'Algérie implique la conquête de tout le Maghreb, le contrôle des routes du Sahara. Ainsi, de proche en proche, la colonisation fait tache d'huile et par une logique des poussées spontanées, on relie les positions les unes aux autres et, si elles sont discontinues, on comble les intervalles.

Ceci parfois ne va pas sans collisions, car les itinéraires théoriques qui doivent relier des positions discontinues s'enchevêtrent, tels en Afrique les grands projets français et britanniques. Les Britanniques rêvent de relier leurs possessions de l'Afrique du Nord-Est à celles de l'Afrique du Sud par un chemin de fer du Cap au Caire, permettant de traverser tout le continent africain du sud au nord sans jamais sortir des possessions britanniques. Mais ce projet se heurte à celui des Français qui rêvent, eux aussi, de pouvoir traverser tout le continent africain d'ouest en est, de l'Atlantique à la mer Rouge : d'où la rencontre de Fachoda en 1898, qui a failli dégénérer en une guerre européenne.

A ces causes psychologiques, stratégiques, politiques, s'en ajoutent de morales, philosophiques ou idéologiques. C'est la légitimation que la pensée politique européenne élabore pour justifier le fait colonial. Tirant son argument principal de sa supériorité, de son avance technique et culturelle, l'Europe se croit des devoirs à l'égard des autres continents. Sa civilisation est universelle, elle doit élever peu à peu les autres peuples au même niveau de civilisation. C'est le thème du « fardeau de l'homme blanc », à qui sa supériorité crée des obligations. C'est pour s'en acquitter que les Européens doivent porter la charge de l'administration, de l'éducation. Telle est la justification la plus haute — et souvent sincère — de l'œuvre coloniale, celle qui inspire l'œuvre de Kipling, les écrits de Lyautey, et que commence à partager l'opinion européenne.

L'impérialisme de la fin du siècle.

A partir de 1880 approximativement, une série de changements relativement importants commencent à donner à l'expansion coloniale de l'Europe une physionomie nouvelle.

Le nombre de parties prenantes s'accroît, le cercle s'élargit. Les anciennes puissances coloniales se répartissaient elles-mêmes en plusieurs vagues : Portugais et Espagnols qui n'ont plus que des débris de leurs empires, tandis que les Pays-Bas développent le leur en Indonésie. La seconde vague comprenait la France et la Grande-Bretagne qui, au XIXᵉ siècle, ont élargi ou reconstitué un empire. La monarchie de Juillet s'établit en Océanie, en Algérie, au Dahomey, en Côte-d'Ivoire. Le second Empire étend la pénétration à partir du Sénégal, prend pied en Indochine, avec la Cochinchine et le protectorat sur le Cambodge. La troisième République, reprenant et poursuivant l'œuvre des régimes précédents, constitue les fédérations d'Afrique occidentale, d'Afrique équatoriale, d'Indochine, et achève de construire un très grand empire colonial.

A ces cinq anciennes puissances coloniales (Portugal, Espagne, Pays-Bas, Grande-Bretagne, France), s'ajoutent de nouveaux compétiteurs. Ce sont les États récemment unifiés à qui il semble que la possession d'un empire colonial soit l'attribut de l'indépendance et le symbole de la puissance. L'amour-propre national joue au principe de leur expansion un rôle qui n'est pas moindre que pour les anciennes puissances coloniales. Guillaume II, élargissant la sphère d'action de l'Allemagne, et passant de la politique européenne de Bismarck à une *Weltpolitik*, a l'ambition de donner à l'Allemagne des colonies, ainsi en Afrique, le Cameroun, le Togo, le Sud-Ouest africain, l'Afrique orientale, autour de Zanzibar. L'Allemagne s'intéresse aussi à la Chine, participe à son démembrement, obtient des concessions dans le Chantoung. L'Italie, née tardivement à l'unité nationale, et qui aspire elle aussi à se constituer un empire, annexe l'Érythrée en 1896 et entre en guerre en 1912 avec la Turquie pour la possession de la Libye. La Belgique se trouve brusquement à la tête d'un empire avec le Congo que lui lègue son souverain Léopold II.

A la fois semblable et différent est le cas de la Russie qui colonise par contiguïté, par voisinage. Ainsi le nombre des puissances coloniales n'est pas loin d'atteindre la dizaine vers la fin du siècle.

Or, second fait qui concourt à singulariser les années 1890-1914, cette augmentation se produit au moment précis où les terres disponibles se raréfient. L'Afrique, au début du XIXe siècle, encore presque totalement inconnue, est colonisée aux neuf dixièmes à la fin du siècle. Un congrès à Berlin, en 1885, départage les convoitises et opère une répartition à l'amiable des zones d'influence et des zones d'occupation. La Chine est simultanément convoitée, dépecée, par les grandes puissances. L'augmentation des compétiteurs, la raréfaction des terres disponibles entraînent une âpreté et une accélération croissantes de l'expansion coloniale qui prend pour la première fois un caractère de course de vitesse pour laquelle chaque pays engage des moyens de plus en plus considérables.

Les gouvernements agissent désormais avec le concours de l'opinion qui, si longtemps indifférente et même réfractaire au fait colonial, commence à se passionner, prend conscience de l'ampleur de l'œuvre accomplie, est fière de l'immensité de certains empires, commence à en concevoir les avantages matériels ou politiques et s'y attache. C'est la naissance d'un sentiment impérialiste. L'orgueil national qui bornait jusque-là son champ d'application au territoire des nations européennes, trouve un prolongement dans les dépendances coloniales. C'est l'idée que tout territoire sur lequel a flotté, à un moment quelconque, le drapeau national, fait désormais partie de la communauté : l'intégrité territoriale. Désormais, on ne supporte plus ni concessions ni amputations. En France, ce point de vue s'exprime au moment où le président du Conseil, Joseph Caillaux, soumet pour ratification au Parlement un traité négocié avec l'Allemagne qui apporte à la France le Maroc en échange de territoires d'Afrique équatoriale et d'une rectification des frontières aux confins du Congo et du Cameroun (1911). Une partie des parlementaires lui reproche très vivement d'avoir consenti une atteinte à l'intégrité territoriale. Les colonies commencent à faire partie du patrimoine.

On peut dater la naissance du sentiment impérialiste en Grande-Bretagne de l'action de Disraeli. C'est Disraeli qui, rompant avec la doctrine libérale, solidarise la Grande-

Bretagne avec ses possessions. C'est lui qui, avec son imagination romantique, son sens des symboles, eut l'idée de faire couronner Victoria impératrice des Indes en 1877. En France, se développe au Parlement un parti colonial puissant, avec lequel doivent compter les gouvernements. Jules Ferry est balayé à la nouvelle du désastre de Langson en 1885. Fachoda mobilise l'anglophobie : la France est prête à la guerre pour venger l'humiliation infligée au commandant Marchand par Kitchener. L'Italie ressent durement le désastre d'Adoua où les Éthiopiens ont battu en rase campagne une armée italienne (1896) et Agadir est ressenti par l'opinion française comme un affront (1911). Les opinions sont prêtes à faire la guerre pour les colonies. Un élément passionnel anime désormais la colonisation.

Enfin, l'intervention de facteurs économiques plus pressants et plus déterminants achève de caractériser ce quart de siècle.

Si, jusque vers 1875-1880, à l'exception de la Grande-Bretagne pour l'Inde, les considérations purement commerciales ont été secondaires, c'est moins vrai à partir de 1880 où le développement de l'industrie, la nécessité de se procurer des matières premières, la préoccupation des débouchés stimulent la conquête coloniale. C'est l'apparition de l'impérialisme, au sens économique du terme.

L'antagonisme qui met aux prises la France et l'Allemagne à propos du Maroc a entre autres des motifs économiques.

A partir de la fin du siècle, la multiplication des compétiteurs, la raréfaction des terres disponibles, la mobilisation passionnelle des opinions publiques, la pression croissante des facteurs économiques entraînent une rivalité accrue entre les puissances européennes qui pouvaient jusque-là, en ordre dispersé, poursuivre leur expansion sans se gêner. Les antagonismes qui les dressaient les unes contre les autres, en Europe même, sont désormais transposés sur les théâtres extérieurs. C'est une menace de plus qui pèse sur la paix. Si la France et l'Allemagne avaient déjà l'Alsace-Lorraine entre elles pour les opposer, à partir de 1905, elles ont le Maroc qui, à deux reprises, a fait craindre à la France la proximité de la guerre, avec les crises de Tanger en 1905 et d'Agadir en 1911.

Ainsi les rivalités coloniales risquent d'engendrer des conflits internationaux. Les prolongements diplomatiques et militaires de la rivalité européenne commandent en partie les regroupements qui se dessinent. Les systèmes d'alliances des vingt-cinq années qui précèdent 1914 sont largement inspirés par des préoccupations qui trouvent leur principe et leur point d'application au-delà des mers. Le rapprochement entre la France et la Grande-Bretagne, les deux grandes puissances coloniales traditionnelles, est facilité, préparé, par l'inquiétude commune que leur inspirent la montée de l'Allemagne et ses exigences coloniales croissantes. C'est aussi un des aspects de l'Entente cordiale, rapprochement des possédants devant les ambitions de ceux qui ont moins.

La paix armée trouve une partie de sa coloration et de sa signification dans le prolongement outre-mer des rivalités intérieures. En retour, la rivalité des puissances coloniales va affaiblir leur prestige auprès des peuples colonisés. La guerre de 1914-1918 apparaîtra, vue de l'extérieur, comme une guerre civile et ébranlera le prestige de l'Europe auprès des autres continents, avant d'entamer son influence et son pouvoir sur le monde.

4. La pénétration économique

Si l'influence de l'Europe sur les autres continents s'est exercée principalement par la domination coloniale et si la colonisation définit bien la forme la plus répandue des relations entre l'Europe et le reste du monde, elle ne s'applique pas au monde entier. L'européanisation est pourtant bien un phénomène universel, mais elle peut se réaliser par d'autres voies.

Une seconde forme de pénétration ne porte apparemment pas atteinte à l'indépendance politique, s'abstient de visées proprement politiques, ne cherche ni à conquérir ni à dominer et se propose seulement des objectifs économiques, commerciaux, industriels, financiers. Cette forme établit avec les pays d'outre-mer des relations limitées, qui laissent de côté le droit, les institutions et la politique.

Mais, comme la colonisation, ces rapports reposent aussi sur une base inégale, l'Europe s'étant assuré des avantages commerciaux par la pression politique, ou militaire, ayant même souvent contraint de s'ouvrir à son commerce d'autres États qui n'étaient pas en mesure d'opposer un refus à une volonté clairement exprimée de l'Europe, appuyée par une démonstration de force.

Cette méthode de pénétration s'applique à de vieux empires supposés riches dont les puissances occidentales n'osent pas détruire l'intégrité ou entreprendre le démembrement : plutôt que de se faire la guerre à propos de la Chine ou de l'Empire ottoman, on préfère en organiser le partage à l'amiable. Ces ambitions antagonistes maintiennent une sorte d'équilibre qui a permis aux États convoi-

tés de sauvegarder une intégrité fictive, une sorte de neutralisation des ambitions opposées.

C'est le cas pour l'Empire ottoman qui, depuis près de
deux siècles qu'il est « l'homme malade de l'Europe », n'a
pas trouvé en lui-même les moyens de s'opposer à une entreprise de force de l'Europe coalisée. Si les puissances européennes, encore inspirées par l'esprit de croisade, l'avaient
voulu, elles seraient peut-être venues à bout de l'Empire
ottoman, mais l'intérêt national, la raison d'État ont prévalu, le passé de l'Empire ottoman en impose encore et,
surtout, les grandes puissances se jalousent et leur rivalité
est une des composantes de la question d'Orient. Les tsars
ont des visées sur Constantinople. Une fois conquise la
façade sur la mer Noire, ils rêvent de s'emparer des provinces danubiennes, puis de pénétrer dans les Balkans,
peut-être de conquérir Constantinople. Les noms d'Alexandre
et Constantin que Catherine II a donnés à ses petits-fils
symbolisent la volonté de restaurer l'Empire de Constantinople. Moscou est la troisième Rome, Constantinople étant
la seconde. Mais la Russie doit compter avec les autres
puissances européennes, avec l'opposition de l'Autriche,
surtout avec celle de la Grande-Bretagne. Si la Russie a
intérêt au démembrement et au partage des dépouilles, la
Grande-Bretagne tient à l'intégrité de l'Empire ottoman qui
couvre, à distance, la sécurité de ses lignes de communication avec l'Inde. C'est ainsi que l'Empire ottoman, jouant
de ces pressions contraires qui se neutralisent, a réussi tant
bien que mal à se survivre jusqu'en 1912. Mais la sauve-
garde de son indépendance, la préservation de son intégrité
territoriale ne le mettent pas à l'abri d'une pénétration plus
insidieuse.

En contrepartie de la protection que lui assure telle ou
telle puissance européenne, la France ou la Grande-Bretagne,
l'Autriche ou la Russie à d'autres moments, l'Empire otto-

man ne peut rien refuser à ses protecteurs : il est dans une situation de protectorat.

Au lendemain de la guerre de Crimée, où la France et la Grande-Bretagne se sont portées à son secours contre la Russie, l'Empire turc, avec son administration archaïque, ses principes médiévaux et une armée d'occupation, cette organisation défectueuse qui est au principe même de sa décadence et le met à la discrétion de l'Occident, est bien obligé de laisser le champ libre à leurs entreprises commerciales ou culturelles. Si des vizirs plus éclairés songent à réformer les institutions ottomanes, ils ne le peuvent sans une aide étrangère, ce que nous appellerions aujourd'hui une assistance technique. Si, au contraire, l'Empire ottoman refuse de se réformer, l'Europe lui impose de le faire, ne serait-ce que pour protéger ses propres ressortissants, ou les minorités chrétiennes dont la France ou la Russie s'arrogent le patronage.

Ainsi tantôt de bon gré, tantôt par la contrainte, l'Empire ottoman passe sous le protectorat de l'Occident chrétien. Par le biais des emprunts que l'Europe lui consent, ses finances étant tellement mal organisées, il passe sous tutelle. Une caisse de contrôle de la dette ottomane est gérée par des fonctionnaires européens. Toutes les ressources de l'Empire, recettes des douanes, des régies, rentrées des impôts, sont versées à cette caisse internationale dont le produit est ensuite réparti par des fonctionnaires internationaux. L'Empire ottoman, dessaisi du contrôle de ses propres ressources, doit bientôt faire concession des ports, des chemins de fer aux capitaux britanniques, aux industriels français ou à l'Allemagne.

L'Égypte présente un cas similaire. Les khédives ayant engagé des dépenses démesurées, et étant incapables de rembourser leurs dettes, la gestion des finances publiques passe sous le contrôle de l'étranger. C'est l'institution d'un condominium franco-anglais, puis du fait de l'abstention de la France, l'Égypte passe sous le contrôle exclusif de la Grande-Bretagne, qui y tient garnison. Des officiers, des fonctionnaires britanniques administrent la police, les finances, les communications, les douanes, les ports. Encore un pays passé sous le contrôle de l'Europe, même si, nominalement, son indépendance subsiste.

La Chine est le troisième exemple de cette pénétration. L'Europe l'a d'abord obligée à ouvrir quelques ports au commerce. La Chine avait toujours refusé de traiter sur pied d'égalité, elle n'admettait pas que les relations avec le reste du monde puissent être fondées sur d'autres rapports que d'inégalité à son avantage. La Chine a longtemps opposé aux demandes une fin de non-recevoir : elle détruit en 1840 les caisses d'opium introduites en contrebande. C'est le point de départ de la guerre dite de l'opium, un des épisodes les moins justifiables de l'expansion européenne. Mais la Chine n'avait pas les moyens de ses prétentions et contre la marine britannique et sa puissance de feu, la flotte chinoise ne peut tenir : elle doit signer en 1842 le premier des traités inégaux. Le traité abolit le monopole du commerce en faveur des Chinois, cède à la Grande-Bretagne à bail une position en face de Canton — c'est l'îlot de Hong-kong — et ouvre cinq ports au trafic commercial britannique. C'est la première brèche dans cette muraille de Chine.

Dans un second temps, en 1859-1860, les troupes françaises et britanniques portent les opérations au nord, débarquent à Tien-t'sin, marchent sur Pékin, y pénètrent, détruisent, pour l'exemple, le palais d'Été, anéantissent des trésors artistiques irremplaçables et imposent à la Chine de nouvelles conditions. Avec l'ouverture de nouveaux ports au commerce, la brèche s'élargit, c'est l'infiltration, la tache d'huile, le contrôle sur les finances de la Chine à l'instar du régime imposé à l'Empire ottoman. Un Anglais devient inspecteur général des douanes maritimes de la Chine. Les Européens ont obtenu ce qu'on appelle des concessions, c'est-à-dire la cession de portions du territoire chinois où Britanniques et Français sont les maîtres incontestés, exercent les pouvoirs de police, ont leur propre juridiction. Ces territoires sont donc soustraits à la souveraineté chinoise, sans réciprocité ni contrepartie.

En 1895 débute le break-up ou dépècement de la Chine. Le Japon a déclaré la guerre à la Chine, la gagne et la Chine n'est sauvée du désastre que par l'intervention des puissances européennes qui obligent le Japon à se contenter de la moitié de ce que la Chine s'apprêtait à lui céder. Les puissances européennes qui ne sont intervenues que pour ne pas voir s'allonger la liste des bénéficiaires, se retournant vers la Chine, lui demandent de reconnaître le service rendu par de nouvelles concessions commerciales, économiques, territoriales.

Le nombre des parties prenantes va croissant car l'Allemagne et l'Italie se mettent sur les rangs. La pénétration économique se précipite, s'étend avec lignes de chemins de fer, concessions minières, établissements industriels, banques.

Ce dépècement, cette mise en coupe réglée provoquent un sursaut du patriotisme chinois, une réaction xénophobe : c'est le soulèvement des Boxers, le siège des légations, les 55 jours de Pékin en 1900. Ce sursaut désespéré est impuissant contre l'action concertée des puissances européennes qui envoient un corps international sous commandement allemand. Au terme, la Chine est encore plus étroitement assujettie, contrainte à payer une indemnité, à donner des garanties, à tolérer une implantation plus profonde.

Empire ottoman, Égypte, Chine sont trois exemples de cette forme de pénétration qui double la colonisation, en comporte tous les avantages sans les risques et les charges.

Le même processus avait débuté au Japon, à la différence

que l'initiative, au lieu de venir d'Europe, vient des États-Unis. Mais la différence est mince au regard de l'Extrême-Orient pour qui il s'agit toujours d'Occidentaux, de Blancs. Les États-Unis exigent du Japon qu'il ouvre quelques ports à leur commerce. L'opération se déroule en deux temps : en 1854, les navires américains se présentent, demandent ouverture, on les fait patienter, ils reviendront chercher la réponse l'année suivante. L'année suivante, le Japon cède. C'est l'ouverture du Japon, mais le processus n'ira pas jusqu'à son terme. Le rapprochement entre Chine et Japon est à ce titre très éclairant, révélant une divergence qui fait découvrir l'originalité de l'histoire du Japon. A partir de 1868, la révolution japonaise, dite du Meiji ou des lumières, va donner un tour différent à l'histoire des relations entre le Japon et l'Occident. Un jeune empereur, qui se comporte en despote éclairé un peu à la façon de Pierre le Grand ou des souverains du XVIIIᵉ siècle, a compris que la supériorité de l'Europe tenait à des causes techniques, économiques, politiques et que, si le Japon ne s'assurait pas la disposition de ces atouts, il serait réduit au rôle de colonie de l'Europe et qu'il convenait donc de se réformer.

Entre le nationalisme figé dans le culte du passé, réduit à l'impuissance ou à des explosions de xénophobie, et le nationalisme tourné vers le progrès et vers l'avenir, le Japon choisit la seconde voie, l'indépendance par la réforme. Il est le seul pays, au XIXᵉ siècle, à l'avoir fait clairement, délibérément, et avec esprit de suite. Si à plusieurs reprises, en Turquie, une élite libérale y a songé, elle n'était jamais parvenue à faire adopter par le sultan son point de vue, tandis qu'au Japon c'est l'empereur qui prend l'initiative du mouvement, qui a brisé les forces réactionnaires; contrôlant la modernisation du Japon, il peut le soustraire à la tutelle de l'Europe ou des États-Unis.

5. L'émigration

A côté de la colonisation déclarée et de la pénétration économique, l'européanisation s'est exercée d'une manière beaucoup plus diffuse par l'exportation des hommes. L'Europe en a exporté dans ses colonies; mais seule une minorité y émigre. Colonies d'exploitation plus que colonies de peuplement, la présence européenne se réduit aux cadres, militaires principalement, administratifs, techniques, commerciaux; au total, quelques millions d'individus; pour toute l'Inde, quelques centaines de milliers de Britanniques.

C'est donc vers d'autres territoires que l'Europe a dirigé l'émigration outre-mer qui, au XIXe siècle, est un des grands faits démographiques de l'histoire du monde.

Ce mouvement d'émigration doit être rattaché à la poussée démographique. Entre 1815 et 1914, la population de l'Europe a plus que doublé. On l'évaluait en 1800 à 187 millions; en 1900, elle dépasse les 400 millions, ayant augmenté de 214 millions en une centaine d'années. Encore ces deux chiffres n'expriment-ils qu'une part du phénomène puisqu'il faudrait tenir compte de tous ceux qui sont allés s'établir ailleurs, pour prendre une vue globale de l'accroissement démographique.

L'Europe paraît surpeuplée. Mais la notion de surpeuplement est une notion essentiellement relative; on ne peut pas la définir par des chiffres absolus. Un pays, un continent n'est surpeuplé que par rapport à ses possibilités alimentaires, économiques. Si l'Europe paraît surpeuplée au XIXe siècle, c'est que dans l'état de son agronomie, elle n'est pas en mesure de nourrir davantage de bouches, et que, compte tenu du développement de son industrie, elle ne peut pas offrir de travail à davantage de bras. Les effets de cette poussée démographique sont aggravés par le machinisme qui engendre le chômage technologique.

Les conséquences sociales déjà évoquées de cette poussée démographique — paupérisme, chômage chronique, baisse des salaires — amènent une partie de la population européenne à chercher une issue dans l'émigration, avec l'espoir de trouver ailleurs la terre, le travail, la fortune, la liberté que l'Europe lui refuse.

Le gros de l'émigration européenne va donc se composer principalement de paysans sans terres, d'ouvriers sans travail, de bourgeois ruinés. Les grandes poussées d'émigration coïncident avec les crises économiques qui frappent l'Europe : les pays qui apportent à ce mouvement d'émigration la contribution la plus substantielle sont les plus touchés par le chômage et la misère.

Cependant, certains sont partis pour des raisons plus idéologiques. A côté de l'émigration massive de la misère, il y a une émigration minoritaire de la conscience ou du refus, ceux qui s'expatrient en raison de leurs convictions religieuses, politiques, idéologiques. Si les Irlandais sont si nombreux à quitter leur île, c'est principalement à cause de la misère et de la famine consécutive à la maladie de la pomme de terre, mais aussi parce que les catholiques y sont assujettis à la domination protestante. Si les juifs sont si nombreux à fuir en Amérique, c'est pour éviter les pogroms qui mettent leur vie en danger dans l'Empire des tsars. Au lendemain de l'échec des révolutions de 1848, une vague quitte l'Allemagne, composée principalement de gens qui avaient milité dans les mouvements révolutionnaires et refusent d'accepter la réaction triomphante.

Mais ces motifs auraient été impuissants à déclencher un mouvement pareil si des facteurs techniques n'avaient rendu possible l'émigration, tels les progrès de la navigation, l'accroissement du tonnage des navires. Les gouvernements tolèrent l'émigration, souvent même ils l'encouragent. Entre l'Ancien Régime qui pratique une politique populationniste, et le nationalisme du XXᵉ siècle qui établit des restrictions à l'émigration, pour garder ses ressortissants, le XIXᵉ siècle ouvre une brèche où la circulation des hommes est facile, les communications possibles, les gouvernements ne s'opposant point au départ de ces masses misérables dont la charge est lourde.

A partir de 1840, l'émigration prend une grande ampleur. C'est essentiellement l'Europe du Nord qui y participe avec la Grande-Bretagne et l'Irlande, après la famine de 1846. Le fait de l'émigration est un fait britannique : la littérature anglaise en porte témoignage. On estime que, de 1820 à 1900, quelque 25 millions de Britanniques ont quitté la Grande-Bretagne, c'est-à-dire plus que le chiffre de la population totale des îles britanniques en 1820.

A partir de 1850, le contingent allemand ne cesse de s'enfler jusqu'en 1890, et à partir de 1880, le centre de gravité se déplace vers l'Europe orientale et méditerranéenne, l'Autriche-Hongrie, la Russie, l'Italie, les Balkans, l'Empire turc même. Le film d'Elia Kazan *America* illustre l'aventure de ces Grecs et Arméniens qui rêvent d'une vie libre en Amérique.

Ce sont au total des masses considérables dont le volume ne cesse de croître jusqu'en 1914 dans une proportion à peu près régulière. Entre 1840 et 1880, on estime à environ 13 millions le nombre d'Européens qui s'expatrient. Entre 1880 et 1900, 13 autres millions, soit le même chiffre pour une période de moitié moins longue: le rythme a donc doublé. A partir de 1900, c'est souvent jusqu'à un million d'émigrants par an qui partent en direction des seuls États-Unis. Au total, on ne se trompe guère en évaluant à environ 60 millions le nombre des Européens qui ont quitté le continent pour aller s'établir au-delà des mers.

Ce sont ces 60 millions qu'il faudrait ajouter aux 401 millions d'individus qui constituent la population européenne en 1900 pour prendre la vraie mesure de l'accroissement démographique de l'Europe. Elle est passée, entre 1800 et 1900, de 187 millions à plus de 460 millions et, compte tenu de leur descendance, à quelque 500 millions. La population de l'Europe a donc triplé en un siècle. Ce coefficient exprime le rythme de l'accroissement démographique de l'Europe.

Où vont ces Européens? Principalement vers le continent américain, les deux Amériques, en proportions inégales, où ils renforcent les éléments déjà venus d'Europe. 32 millions sont entrés aux États-Unis. Leur afflux est, au XIXe siècle, le facteur essentiel de l'accroissement de la population américaine. Il n'en est plus du tout ainsi depuis que le Congrès américain a adopté en 1920 une législation restrictive à l'émigration pour préserver ce qu'on hésite à appeler la pureté de la race. Pourtant la population américaine augmente de 3 millions d'unités par an, l'accroissement reposant sur le croît naturel, et non plus sur un apport extérieur. Quelque 8 millions d'individus, principalement des Espagnols, des Italiens, des Allemands, se sont dirigés vers l'Amérique du Sud. L'Argentine est peuplée d'Italiens et d'Espagnols. Il existe, dans les États du sud du Brésil, de fortes colonies allemandes.

Partout, qu'il s'agisse de colonies ou d'États indépendants, les Européens ont fondé des sociétés semblables en tous points à celles du continent d'origine. Ce qu'on appelle quelquefois les nouvelles Europe sont comme autant de répliques de l'Angleterre, de la France, de l'Italie ou de l'Espagne. En effet, ces Européens, qui quittent leur pays sans esprit de retour, emportant avec eux leur genre de vie, leurs institutions, leurs mœurs, leurs goûts, leurs habitudes, leur religion, les implantent là où ils vont. Pourtant émigrant d'Europe pour fuir le despotisme ou l'inégalité des conditions, ils entendent fonder des sociétés qui reposent sur la liberté et sur l'égalité. Ainsi ces sociétés procèdent de l'Europe, lui ressemblent, mais s'en différencient aussi. C'est leur double caractère de similitude et d'originalité qui fait l'intérêt de l'étude des nouvelles Europe, et en premier lieu de la société américaine.

Peu à peu ces sociétés se détachent des métropoles, distendent leurs liens, même politiques quand il s'agit d'une colonie. C'est ce qui explique l'évolution de l'Empire britannique, le gouvernement anglais ayant eu la sagesse d'accepter ce relâchement progressif des liens, d'abord le statut de dominion, qui comporte le self-government ou l'autonomie, puis plus tard, avec le statut de Westminster en 1931, l'indépendance complète, l'égalité absolue, la souveraineté.

Sur ces nouvelles Europe, on saisit les deux effets simultanés et contraires de l'expansion européenne. D'une part, elle étend l'influence de l'Europe. C'est le triomphe de l'Europe comme civilisation. Toutes les sociétés vont imiter ses institutions, ses valeurs, ses principes politiques, ses mœurs. Mais, d'autre part, la domination de l'Europe provoque des résistances, suscite des jalousies; c'est déjà l'annonce, le pressentiment du recul de l'Europe, non plus comme civilisation, mais comme domination, comme puissance politique.

L'influence de l'Europe s'est exercée au XIXe siècle par des voies multiples et a emprunté des formes très diverses. Elle s'est étendue au monde entier, seules quelques régions reculées ont échappé à son influence en continuant à vivre en dehors des échanges. Exception faite de ces territoires marginaux, on peut dire, à la veille de 1914, que l'Europe est partout présente et que son influence a gagné jusqu'aux limites de la terre.

6. L'européanisation du monde

Les effets.

Les conséquences de la prépondérance qu'assuraient à l'Europe sa priorité et son initiative n'ont pas été moins décisives pour l'Europe que pour les autres continents, et ce n'est pas céder à l'exagération que de dire que la colonisation et les formes qui s'y apparentent ont effectivement changé la physionomie du globe, tous les aspects de la vie collective.

L'Europe a été longtemps le centre de la décision. Les grandes puissances, peu nombreuses encore à la veille de la Première Guerre mondiale, sont toutes européennes — exception faite des États-Unis, et encore pour les États-Unis s'agit-il d'une promotion récente et d'un pays qui est le fils de l'Europe, tant dans sa composition humaine que par les caractéristiques de sa civilisation. Quelques États européens règlent entre eux le sort du monde, d'eux dépend la destinée du reste des hommes.

On le constate à toutes sortes d'indices, souvent secondaires, par exemple à la géographie des lieux où se tiennent les conférences diplomatiques, où s'assemblent les congrès qui ont pour objet de départager les rivalités, de trancher les litiges. En 1885, la conférence qui règle le partage de l'Afrique se tient à Berlin. C'est à Algésiras que siège la conférence qui trouve une solution au conflit franco-allemand à propos du Maroc. C'est à La Haye, à Bruxelles, à Londres ou à Paris, qu'ambassadeurs, ministres plénipotentiaires décident du sort de la Chine, de l'Afrique centrale ou de l'Amérique latine.

Conséquences économiques.

C'est l'Europe qui a aménagé le monde, en a assuré la mise en valeur, exploité les ressources qu'elle-même avait découvertes, qui assure la redistribution à la surface du globe des produits, des denrées, des hommes et des capitaux. Ce sont des capitaux, des ingénieurs européens qui percent les canaux interocéaniques, dessinent les réseaux ferroviaires, le tracé des routes, des réseaux télégraphiques, qui posent les câbles sous-marins. C'est l'Europe qui ceinture le monde et l'organise. Tous les courants d'échanges convergent vers l'Europe. Il n'y a guère, avant 1914, de relations bilatérales indépendantes de l'Europe. Tout part de l'Europe et tout y revient. Elle est le centre, le pôle. On a dit d'elle qu'elle était l'horloge du monde et l'expression doit être prise à la lettre, les méridiens étant comptés et numérotés en fonction de l'Europe : c'est par rapport à eux que le monde est découpé et que sont définies les coordonnées de tous les points du globe. L'Europe, principalement la Grande-Bretagne, a tissé sur le monde une gigantesque toile d'araignée, avec ses lignes de navigation, ses relais, ses stations. Les bourses, les marchés, tout est domicilié en Europe occidentale. Il en va ainsi jusqu'à la veille de la Première Guerre mondiale.

Conséquences culturelles.

Plus difficiles à décrire car moins immédiatement perceptibles, plus disparates, sont peut-être les conséquences culturelles qui pourtant, compte tenu de la décolonisation, sont sans doute les plus durables. La domination politique a été ébranlée, l'exploitation économique remise en question, les conséquences intellectuelles, culturelles semblent indélébiles.

On peut résumer cet aspect d'une formule : le monde a été à l'école de l'Europe. Pas toujours de son plein gré, souvent par la force, mais il n'en reste pas moins que tous les peuples ont eu l'Europe pour modèle, au moins temporaire, et l'ont imitée.

Le succès même des Européens, leur hégémonie n'étaient-ils pas une présomption de la supériorité de leur civilisation? Le seul moyen de se soustraire à leur domination n'était-il pas de s'approprier les moyens qui leur avaient permis d'établir sur le monde leur supériorité politique, économique et intellectuelle?

Tantôt avec leur consentement, tantôt par la contrainte, les uns parce qu'ils l'admiraient, d'autres pour se soustraire au joug de l'Europe, tous se sont européanisés, modernisés, les deux choses apparaissant à l'époque comme synonymes.

Cette imitation s'est étendue aux institutions politiques, les mouvements d'inspiration réformiste se proposant l'adoption — quelquefois l'adaptation — des institutions occidentales. Le mouvement que l'on appelle dans l'Empire ottoman, au milieu du XIXᵉ siècle, le Tanzimat, veut libéraliser un régime qui apparaissait jusqu'alors comme le comble du despotisme. La révolution « Jeunes Turcs » qui éclate en 1908 et reprend avec plus de succès l'effort avorté du Tanzimat un demi-siècle plus tôt, se propose, elle aussi, de moderniser l'Empire ottoman en l'européanisant : ce ne sont plus les institutions libérales mais les institutions démocratiques qu'elle veut introduire. Le Japon aussi se met à l'école de l'Occident.

A l'instar de l'Europe, ces pays se donnent des constitutions. Ce sont souvent de simples façades, des faux-semblants destinés à donner à l'opinion européenne une impression favorable, mais même ainsi, c'est encore une façon de s'européaniser en rendant un hommage indirect aux institutions européennes. Catherine II n'agissait pas autrement qui n'a jamais sincèrement pensé à libéraliser l'empire des tsars, mais estimait utile pour sa publicité de faire croire aux intellectuels de l'Europe occidentale qu'elle était leur plus fidèle disciple. Ces constitutions instituent des gouvernements à l'occidentale, avec assemblées représentatives, institutions parlementaires; des partis, à l'anglaise ou à la française, se forment.

Un des exemples les plus intéressants est la fondation aux Indes du parti du Congrès, en 1885, qui se propose explicitement de former une élite indienne dans le respect des principes du parlementarisme britannique; ce parti du Congrès, dont la formation a été encouragée par l'administration britannique, deviendra peu à peu le porte-parole de l'aspiration des Indiens à l'indépendance, et c'est le même parti qui, après l'indépendance, assurera la conduite de la politique indienne. Il y a là un exemple rare de continuité de 1885 à Nehru et à Mme Gandhi.

L'européanisation affecte l'organisation de la société, les principes inspirateurs de l'ordre social, les relations entre les groupes. Le Code civil a servi de modèle dans plusieurs pays. D'autres adoptent la jurisprudence et la procédure judiciaire anglo-saxonne. Le droit des personnes s'aligne peu à peu sur ce qu'il est en Occident. Les régimes fonciers, à leur tour, évoluent. L'armée et la marine se conforment à l'organisation et à la stratégie de l'Europe.

La plupart des continents empruntent à l'Europe sa civilisation, ses mœurs jusque dans la forme extérieure, l'habillement, les usages, les goûts, les sports même. Ainsi, on peut aujourd'hui reconnaître quel a été le colonisateur aux sports pratiqués dans les anciennes colonies.

Dans les pays qui n'avaient pas de langue nationale ou qui en avaient trop, la langue du colonisateur devient la langue nationale. Le cas de l'Inde est à cet égard typique où existent quelque 180 langues, dont plusieurs sont des langues de culture. Mais le fait même qu'elles soient plusieurs empêche l'une d'entre elles de s'imposer. Aussi la langue du conquérant est-elle la seule langue universelle. Depuis l'indépendance, le Congrès a assurément énoncé le vœu et le principe que l'hindi remplace un jour l'anglais, mais l'exécution de cette disposition est ajournée. Le français joue le même rôle pour l'Afrique Noire.

De ce fait, ce sont en même temps des langues européennes qui deviennent universelles. L'anglais, le français, l'espagnol, le portugais sont ainsi parlés dans le monde entier et font que l'Européen n'est pas dépaysé hors d'Europe, il a le sentiment d'être partout chez lui.

Il faudrait rappeler l'influence de l'enseignement secondaire, des collèges ou des missions laïques. Pour l'enseignement supérieur, il n'y a généralement pas d'universités dans les colonies, les étudiants viennent faire leurs études supérieures en Europe. L'élite anglo-indienne a fait ses études en Angleterre, a conquis ses grades universitaires à Oxford ou à Cambridge, retournant ensuite anglicisée aux Indes. De même en France avec les élites indochinoises ou nord-africaines.

L'irruption de la culture européenne a eu pour effet de dénationaliser les cadres sociaux, politiques et intellectuels des colonies, et de superposer aux peuples une élite occidentalisée, elle-même écartelée entre la culture traditionnelle, qui faute de moyens perd sa vitalité, et une culture étrangère importée. Des mélanges s'opèrent et synthétisent une culture anglo-indienne, une culture franco-asiatique, une culture franco-africaine.

Par l'évangélisation, l'Occident apporte sa ou ses religions, les différentes variantes du christianisme, catholicisme ou protestantisme. Leur pénétration est très inégale selon les régions, selon également la religion dominante avant l'arrivée des missionnaires. Le christianisme ne mord pratiquement pas sur l'Islam, mais davantage sur les populations animistes de l'Afrique Noire. L'action de l'Europe agit sur le plan religieux d'une autre façon. Elle apporte avec elle sa distinction traditionnelle entre société civile et société religieuse, qui est la conséquence logique du christianisme, du « rendez à César ce qui est à César et à Dieu ce qui est à Dieu ». L'Islam ne sépare pas les deux ordres ; le droit canon — ou religieux — se confond avec le droit civil. Cette distinction que l'Europe apporte entraîne une sécularisation progressive des sociétés, des mœurs, des civilisations, qui aboutira même à une laïcisation d'une partie de ces élites qui se détachent des croyances traditionnelles. La colonisation a été au principe d'un phénomène de sécularisation comparable à celui que l'Europe connaît à la même époque.

La variété des effets confirme que l'occidentalisation du monde, par le truchement de l'Europe, est bien l'un des faits de civilisation les plus considérables de l'histoire.

Cette influence s'exerce à sens unique, à peu près sans contrepartie. Il n'y a à peu près rien à dire de l'asiatisation ou de l'africanisation de l'Europe, car l'Europe n'imite en rien, n'a à peu près rien emprunté, si ce n'est au titre de l'exotisme, du mobilier ou de la décoration, estampes japonaises, laques ou paravents de Chine, jades, masques nègres, qui font partie du décor de l'existence.

La reconnaissance d'autres civilisations qui aient leur valeur propre est toute récente ; elle s'est faite en même temps que la décolonisation, c'est-à-dire trop tard pour pouvoir affecter la colonisation elle-même. Il n'y a donc pas eu véritablement échange ou dialogue. Cette absence de réciprocité a altéré les rapports entre l'Europe et les autres continents, l'Europe tenant sa civilisation pour la seule, imposant avec autant d'inconscience que de désintéressement ses modes de vie et de pensée, ses structures de gouvernement et d'administration.

L'Europe a mis sa marque sur le monde entier, le fait est probablement irréversible et il y a beaucoup d'illusion ou d'utopie à imaginer qu'on pourra faire comme si la colonisation n'avait jamais existé. On ne peut jamais refermer les parenthèses que l'histoire a ouvertes ou, plus exactement, l'histoire ne comporte pas de parenthèses.

Les réactions et les signes avant-coureurs
de la décolonisation.

La domination politique de l'Europe et l'exploitation économique, l'inégalité fondamentale des rapports ont suscité, dès avant 1914, des réactions.

On peut relever des signes avant-coureurs du processus qui entraînera, en une quinzaine d'années, la désagrégation des empires que l'Europe avait mis quatre siècles à bâtir, les prodromes du mouvement. La colonisation, plus généralement les rapports entre l'Europe et les autres continents, provoquèrent deux sortes de réactions, bien dissemblables, même contraires, dont la dualité même présente quelque analogie avec les réactions de l'Europe au fait révolutionnaire.

Il y a l'imitation qui incite les pays à se mettre à l'école de l'Europe, lui empruntant ses façons de faire, en partie pour lui dérober les moyens de sa supériorité et peut-être les retourner un jour contre elle, mais aussi le rejet, le refus et la résistance qui inspirent les mouvements de dissidence, la rébellion, les guerres que les populations indigènes livrent à l'envahisseur. C'est la signification de la résistance, en Algérie, d'Abd el-Kader, de l'insurrection sénoussiste contre la pénétration italienne en Tripolitaine, ou encore au Tonkin des mouvements qu'on a appelés des pirates, qui avaient une certaine signification patriotique. En Chine, c'est l'agitation xénophobe des sociétés secrètes, les Taïpings, les Boxers, aux Indes la grande insurrection des Cipayes en

1857. Tous ces mouvements qui aboutissent à des résistances armées sont suscités par un attachement jaloux au passé national et le refus catégorique de tout apport de l'étranger.

Ces deux réactions de sens contraire, l'une de repli sur soi et de refus, l'autre d'ouverture, sont les deux sources des nationalismes coloniaux — comme jadis des nationalités européennes — qui, dès avant 1914, ont opposé des obstacles à la colonisation. Dans les deux décennies qui précèdent la Première Guerre mondiale, on peut relever des signes annonciateurs des difficultés croissantes que vont connaître les nations colonisatrices, des faits qui ont frappé les contemporains, sans qu'ils aient toujours établi entre eux des corrélations ou qu'ils en aient bien vu la convergence, des événements qui marquent des échecs ou des reculs de telle ou telle nation européenne, parfois devant une autre nation blanche, en d'autres cas devant un peuple de couleur.

En 1896, le désastre d'Adoua marque la défaite des Italiens devant les Éthiopiens. C'est en partie pour tirer vengeance de l'échec survenu quarante ans plus tôt que Mussolini s'engagera en 1935 dans la conquête de l'Éthiopie.

En 1898-1901, la pénétration britannique bute sur la résistance des Boers, ce petit peuple composé de descendants des Hollandais, qui tiennent en échec près de trois années la plus grande puissance coloniale du monde et réussissent à l'isoler moralement, la sympathie de l'Europe allant aux Boers.

En 1898, les États-Unis, prenant prétexte d'un incident sur le moment mal expliqué — l'explosion, dans la baie de La Havane, d'un croiseur de guerre américain — déclarent la guerre à l'Espagne, lui infligent en quelques mois défaite sur défaite et l'obligent à liquider les résidus de son empire colonial. Cuba, Porto Rico, les Philippines deviennent indépendants, ou passent entre les mains de l'impérialisme nord-américain. C'est une date importante. Dans *Regards sur le monde actuel*, Paul Valéry confie qu'il a eu le sentiment qu'il y avait là une rupture. Première défaite infligée par une nouvelle Europe — les États-Unis — à la vieille Europe, elle marque la liquidation du premier des grands empires coloniaux, la décadence espagnole. Pour l'Espagne même, c'est une date capitale dans son histoire intellectuelle : on parlera de la génération de 1898, marquée par la défaite, qui y a puisé le désir d'amorcer la régénération du pays. La plupart des grands noms de l'intelligence espagnole — Unamuno, Ortega Y Gasset — appartiennent à cette génération qui croira, en 1931, toucher au but avec la République et entreprendra la transformation de l'Espagne. Cinq ans plus tard, la guerre civile anéantira ses espérances.

En 1900, la guerre des Boxers tourne bien pour l'Europe, mais que les Chinois aient cru, pendant quelques semaines, pouvoir tenir en échec et même rejeter les Européens à la mer est significatif.

L'événement le plus important est la guerre russo-japonaise de 1905-1906 qui marque la défaite de la Russie, la première victoire, dans une guerre classique, d'un peuple de couleur sur les Blancs. Le retentissement en fut considérable dans tout le continent asiatique. Aux Indes, en Indochine, partout les peuples y ont vu la preuve qu'ils ne seraient pas incapables, un jour, de défier l'envahisseur. On peut faire dater de là le réveil de l'Asie, les prémices de son émancipation et de ce grand mouvement des peuples de couleur qui aboutira, juste un demi-siècle plus tard, à la conférence de Bandoeng (1955).

Ainsi, à la veille de 1914, la situation est déjà ambivalente. Assurément, l'Europe exerce sur l'univers une domination qui est encore à peu près sans faille. Elle en dirige la mise en valeur, l'exploitation : on parle, on pense européen, on se gouverne à l'européenne, mais il y a déjà des signes prémonitoires de son recul, et l'on peut déjà distinguer les premiers ébranlements de l'Europe.

Table

COMPOSITION : FLOCH À MAYENNE
IMPRESSION : BRODARD ET TAUPIN À LA FLÈCHE (9-94)
D. L. 1er TRIMESTRE 1974. No 3308-12 (1742 K-5)

Collection Points

SÉRIE HISTOIRE

DERNIERS TITRES PARUS